nuevo ¡Ya! 2

Libro del estudiante

Carmen Perea-Gohar Isabel de Sudea

OXFORD
UNIVERSITY PRESS

OXFORD
UNIVERSITY PRESS

Great Clarendon Street, Oxford OX2 6DP

Oxford University Press is a department of the University of Oxford. It furthers the University's objective of excellence in research, scholarship, and education by publishing worldwide in

Oxford New York

Auckland Bangkok Buenos Aires Cape Town Chennai Dar es Salaam Delhi Hong Kong Istanbul Karachi Kolkata Kuala Lumpur Madrid Melbourne Mexico City Mumbai Nairobi São Paulo Shanghai Singapore Taipei Tokyo Toronto with an associated company in Berlin

Oxford is a registered trade mark of Oxford University Press in the UK and in certain other countries

Originally published by Almqvist & Wiksell under the title *Eso sí 2*

This edition first published 2002

British Library Cataloguing in Publication Data

Data available

ISBN 0 19 912343 8

10 9 8 7 6 5 4 3 2 1

Typeset in Esprit Book 11pt

Printed in Spain by Edelvives, Zaragoza

Acknowledgements

Translated from the Swedish by Joan Tate.

Illustrations are by Göran Lindgren, Mike Spoor and Stefan Chabluk.

The publishers would like to thank the following for permission to use copyright material:

Andes Press Agency p8 (top), p28 (right), p30 (left); Andes Press Agency/Dave Bryant p40 (left) p41; Andes Press Agency/Mike Cadman p82 (both), p83; Andes Press Agency/ Hugo Fernandez p61 (top); Andes Press Agency/Carlos Reyes-Manzo p37 (top left, top right), p38 (left), 40 (right): Andes Press Agency/Marcel Reyes-Cortez p77 (bottom); Andes Press Agency/C R Sharp/DBB Stock Photo p38 (right); Central audiovisual library, European Commission p14 Sue Cunningham p25, p29 right , p27 (both), p45, p46, p58, p60, p61 (bottom), p73(bottom), p77 (top); Corbis p30 (right) p34, p35, p39 (both), p48, p73(centre); Food From Spain p57 (left); Images of Spain/Nick Inman p67, p72; imaginature.com /Andre van Huizen p37 (bottom left); Magnum/Alex Webb p32, p37 (bottom right); Magic of Spain p8 (bottom), p24, p72 (c, d) p73 (a, b); Robert Harding Picture Library p22, p28, p65 (centre right); Robert Harding Picture Library/Robert Frerck/Odyssey/ Chicago p31, p59; Robert Harding Picture Library/Trevor Wood p79 Ray Roberts p68 (both); Spanish Tourist Office/F Ontañón p13 (right), Spanish Tourist Office/A Garrido p51 (centre right, bottom right), p62; Turespana p51 (centre left, bottom left), Turespana/A Garrido p51 (top right), p76, Turespana/F Ontañón p13 (left), p57 (right); Tony Stone Images front cover, p23, p29 (top)

The publishers would like to thank the following copyright holders for permission to reproduce texts:
El estrés en España adapted from El País Semanal (p.23) El País (p.33) D.C. Heath & Co., Lexington, Massachusetts: "Un secreto indio" from *Spanish for Mastery* by Valette & Valette (p.26) *Dagens Nyheter*: "Hispanos" based on an article by Kjell A. Johansson in Dagens Nyheter 1982 (p.34): Song "Gracias a la vida" by Joan Baez (p.35 recording) Cambio 16 "Una llamada misteriosa" adapted from *Cambio 16* (p.40 Editorial Losada, S.A., Buenos Aires: *Poem Voy a contarte ...* by Pablo Neruda (p.45) Patronato de Turismo del Excmo. Cabildo de El Hierro, Canarias: Brochure text adapted from *¡Eeeepaa, turista!* (pp.62–3) Mundo maya: "El ciclo de la vida en la cultura maya" adapted from *Mundo maya*, año 5, no. 1 (pp.80–1) Espasa Calpe, Madrid: "Patagonia, tierra del calafate y el guanaco" adapted from *Gran Enciclopedia de España y América*, vol. III La Tierra (82–3)

Contents

Introduction

¡Ya! 2 is a second-year Spanish course for students in secondary schools, sixth form colleges and further or higher education. It is also suitable for group and home study after the beginner stage. **¡Ya! 2** is based on **¡Ya! 1**, but it can equally well be used after other beginner books, as we start by repeating and reinforcing basic vocabulary and grammar.

Students' Book and CDs/cassettes
The texts in Units 1–34 are very varied. There are simple dialogues in everyday Spanish, descriptive and narrative texts and descriptions of life in Spain and Latin America, with the emphasis on Mexico and Argentina. New grammar is gradually brought into the texts and you will have an opportunity to practise and revise at various stages.

The texts are recorded on two CDs/cassettes, together with the *listening exercises*, which are indicated by a tape symbol in the Students' Book; the accompanying exercise is usually to be found in the Activity Book. Transcripts of these listening passages are included at the back of the Students' Book. Some *songs* are also recorded.

Unit 34 is followed by six *Lecturas* intended for free reading. These passages introduce quite a lot of new vocabulary, but there is no need to learn all the words: the important thing is to understand the contents. You should use a dictionary to help you.

The Students' Book also contains:
- a *grammar section*, which contains all the grammar of the **¡Ya!** series
- a *Spanish–English vocabulary* and
- a *course outline*, which lists the contents and aims of the texts, the important words and phrases, and the relevant grammar. Listening exercises, songs and optional reading passages are indicated by symbols.

Activity Book
You can continue to practise both grammar and vocabulary with the Activity Book. Alongside many exercises in this book, there are references to the relevant part of the grammar section in the Students' Book. You can also take part in practical speaking situations and talk about different things, starting with yourself, your own wishes and needs.

In addition to the alphabetical Spanish–English vocabulary at the back of the Students' Book, there are two vocabularies in the Activity Book:

- the *unit vocabularies* which you can have open while working on a text in the Students' Book, and
- an *English–Spanish vocabulary* to help with translation exercises.

Symbols used in this book

(headphones symbol)	listening activity	(question-mark symbol)	optional reading passage
A12	refer to the Activity Book (page number given)	(music note symbol)	song

1 ¿Cómo se llama usted?

◆ ¡Su permiso de conducir, por favor!
○ No lo llevo. Lo he olvidado.
◆ ¿No tiene otro documento de identidad?
○ No, lo siento.
◆ Pues entonces, vamos a ver … ¿cómo se llama usted?
○ Alonso Rubio.
◆ ¿Y su segundo apellido?
○ Esos son los apellidos. Mi nombre es Juan Luis.
◆ ¿Su dirección?
○ ¿Cómo dice?
◆ ¿Dónde vive usted?
○ Aquí en Madrid, en la calle Esteban Terradas, ocho, tercero A.
◆ ¿Fecha de nacimiento?
○ El once de marzo de mil novecientos setenta y cinco.
◆ ¿Qué profesión tiene?
○ Soy programador.
◆ Bueno, vamos a ver …

2 Acabo de llegar

◆ ¿Tomamos el autobús?
❍ No, prefiero tomar un taxi. No me gusta hacer cola.

◆ A mí también me gustaría hacer un viaje.
❍ ¿Adónde te gustaría ir?
◆ No sé, quizás a Cuba. Tengo allí un primo.

◆ ¿De dónde viene usted?
○ Vengo de Italia. Acabo de llegar.
◆ ¿Es usted italiano?
○ No, soy francés.

◆ ¡Hola Jaime! ¡Cuánto tiempo sin verte! ¿Dónde has estado?
○ En México. He estado de vacaciones.
◆ ¿Y qué tal lo has pasado?
○ Muy bien. Ha sido fantástico.

3 Las vacaciones de Eva

¡Hola! Me llamo Eva Martínez. Soy hija única y vivo con mis padres y mi abuelo en Bilbao. Estudio Derecho.

A principios del verano, para ganar un poco de dinero para mis gastos, trabajé cinco semanas en una clínica. Fue una experiencia muy interesante, pero bastante dura también.

Luego, a finales de julio, llegó por fin el momento de las vacaciones. Los últimos seis años hemos pasado el verano en Estepona, en el sur de España. Esta vez nos decidimos a cambiar. Fuimos toda la familia en un viaje organizado a Kos, que es una de las islas más interesantes del archipiélago griego.

Nos alojaron en un chalé, a menos de cien metros de la playa. Durante las dos semanas que estuvimos allí hizo un tiempo maravilloso. No llovió ni un solo día.

Ahora estoy otra vez en Bilbao. Kos nos gustó a todos aunque, la verdad, yo prefiero Estepona porque allí tengo un montón de amigos. Además, no sé ni una palabra de griego.

Una de mis mejores amigas, Julia, ha pasado como yo muchos veranos en Estepona. Poco antes de empezar las vacaciones le mandé un mensaje a Madrid (porque ella es madrileña) y todavía estoy esperando su respuesta.

Vacaciones de verano: sol y playa

4 Noticias de Estepona

De: Julia Higuera Ballesteros
Fecha: 20 de septiembre, 20… 10:13
Para: Eva Martínez Navarrete
Asunto: Noticias de Estepona

Querida Eva:

¡Qué alegría recibir tu mensaje! He tardado un poco en contestarte porque últimamente he andado de cabeza preparando el examen de filosofía. En junio tuve mala pata y me suspendieron. Por eso he tenido que presentarme ahora en septiembre. Ayer me examiné y esta vez creo que me ha salido bastante bien. Con un poquito de suerte, casi seguro que apruebo, y entonces … ¡a la uni!

Pero vamos a dejar este tema. El mes de agosto lo pasé en Estepona con mis padres. Mi hermano Luis no vino porque se quedó aquí en Madrid haciendo un cursillo de ordenadores o no sé qué. Después se fue a Suiza y a Italia con la tarjeta interrail.

En Estepona todo está igual que el año pasado. He visto allí a Mari Nieves y a Pili y también a Paco, el de la moto. ¿Te acuerdas de él? Se ha puesto de guapo … Toni ha vuelto de Canarias. Virginia y él están todavía de novios, aunque creo que la cosa va a durar poco. Y a propósito de Paco, ¿sabes una cosa? A mí me parece que le gustas. ¿No te ha escrito?

Un beso
Julia

Actividad

A12 **E** Escuche y conteste a las preguntas del libro de actividades.

5 ¡Buen viaje!

Actividad

A14 **A** Escuche y rellene el recuadro en el libro de actividades.

◆ ¿Has oído? El tren de Barcelona está entrando por la vía 2.
○ Sí, vamos. Allí enfrente está. A ver en qué vagón viene María Luisa.
◆ ¿Qué ha dicho? No he entendido nada.
○ Ha dicho que el tren de Bilbao trae siete minutos de retraso.
ANDEN 1
VIA 2
TREN TALGO
BARCELONA
LLEGADA 14.44
◆ Deme una hamburguesa, pero rápido, por favor. Tengo prisa. Mi tren sale dentro de dos minutos.
HAMBURGUESAS
BOCADILLOS
REFRESCOS

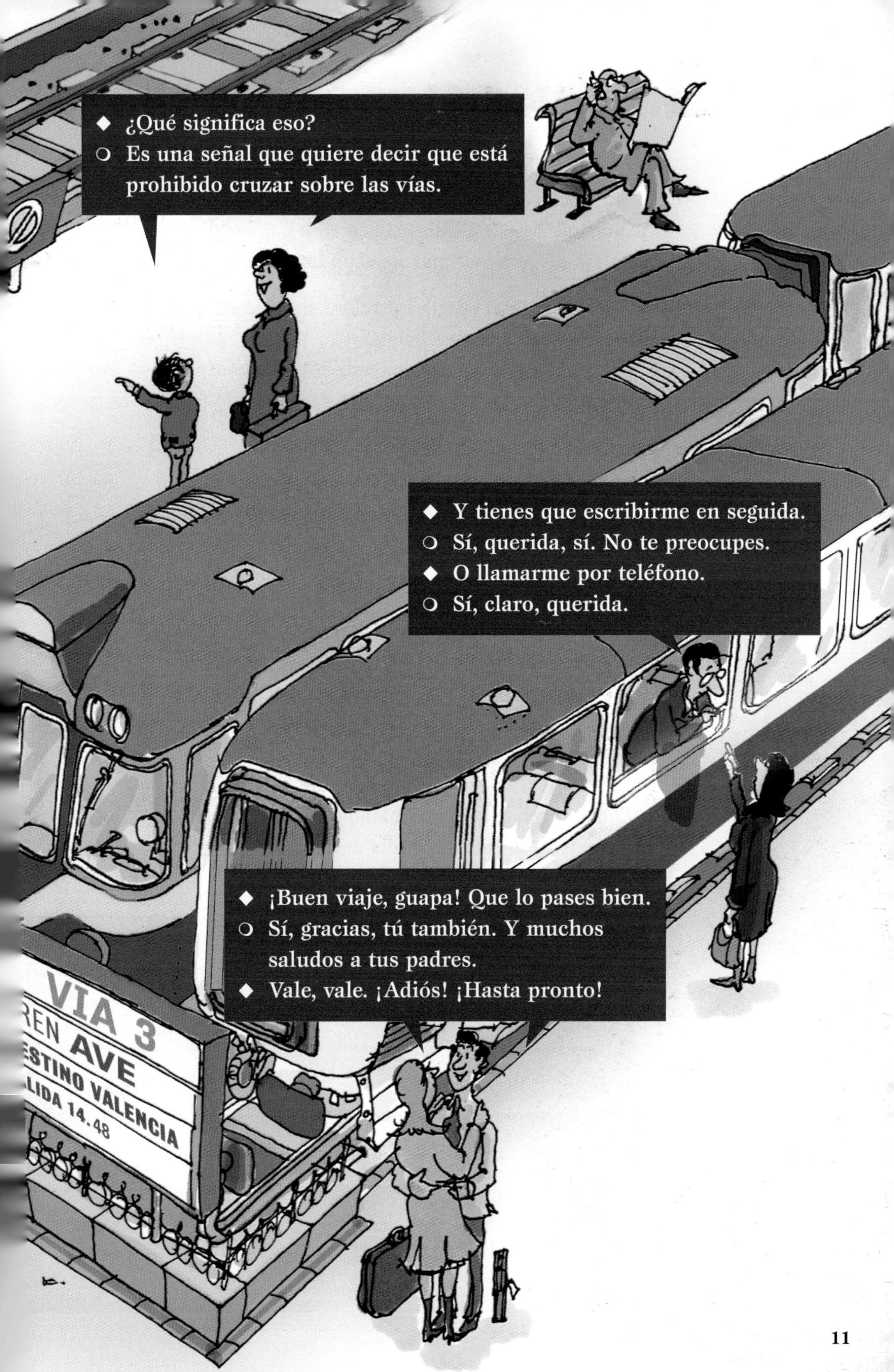

◆ ¿Qué significa eso?
❍ Es una señal que quiere decir que está prohibido cruzar sobre las vías.
◆ Y tienes que escribirme en seguida.
❍ Sí, querida, sí. No te preocupes.
◆ O llamarme por teléfono.
❍ Sí, claro, querida.
◆ ¡Buen viaje, guapa! Que lo pases bien.
❍ Sí, gracias, tú también. Y muchos saludos a tus padres.
◆ Vale, vale. ¡Adiós! ¡Hasta pronto!
VIA 3
AVE
VALENCIA
14.48

6 A ver si quedan plazas

En la ventanilla número 8 de la estación de Chamartín una muchacha está rellenando un impreso para solicitar la tarjeta interrail. Mientras ella está escribiendo los datos llega una pareja de personas mayores con mucho equipaje.

—Pueden pasar ustedes primero si quieren. Yo voy a tardar un rato —les dice la muchacha.
—Muchas gracias —le contesta sonriendo el señor—. Por favor, deme dos billetes para Burgos, para el tren de las tres y cuarto.
—Sí, es a las 15.19. ¿Ida y vuelta?
—No, sólo ida. Clase turista, no fumadores.
—A ver si quedan plazas libres …
—¿Hace falta reservar asiento?
—Sí, es un Talgo. A ver …

El empleado pulsa las teclas del ordenador. Todavía quedan asientos libres. Le entrega los billetes al señor.

—Son 40,30 euros en total.
—Tenga. No hay que cambiar de tren, ¿verdad?
—No, no, es directo.

La muchacha sigue escribiendo. En la cola, detrás de los paquetes y las maletas de la pareja, se ha colocado una señora de mediana edad.

La estación de Chamartín está en el norte de Madrid.

Actividad

A20 🎧 K Mire el horario, escuche y conteste a las preguntas del libro de actividades.

Renfe — Horarios y Precios

Origen: MADRID (*) Destino: BILBAO-ABANDO

(*) Ciudades con varias estaciones.

Pulse sobre la casilla "Tipo Tren" para obtener los horarios de salida/llegada desde las mismas.

N§Tren	Tipo Tren	Salida	Llegada	Período Circulación	Clases
00941	Picasso	03:40	10:05	LXV	T P Camas Literas
00251	TALGO	15:19	21:25	D	T P
00201	TALGO	15:45	21:55	LMXJVS	T P
00205	Costa Vasca	22:45	07:30	LMXJVD	P Camas

L =Lunes, M =Martes, X =Miércoles, J =Jueves, V =Viernes, S =Sábado, D =Domingo.

CLASES

1 Primera **2 Segunda** **P Preferente** **T Turista**

Camas **Literas**

Trayectos

⬅ Volver a consulta de horarios

Paradas del Tren: ESTRELLA (Costa Vasca) 00205

Estación	Llegada	Salida
MADRID-CHAMARTIN		22:45
AVILA	00:18	00:20
MEDINA DEL CAMPO	01:08	01:10
VALLADOLID-CAMPO GRANDE	01:40	01:42
VENTA DE BANOS	02:12	02:22
BURGOS	03:15	03:17
MIRANDA DE EBRO	04:20	05:30
ORDUÑA	06:31	06:32
LLODIO	07:00	
BILBAO-ABANDO	07:30	

Origen Tren : MADRID-CHAMARTIN

Destino Tren : BILBAO-ABANDO

La estación de Atocha está en el sur de la ciudad.

Renfe significa Red Nacional de los Ferrocarriles Españoles. El AVE es un tren de alta velocidad.

7 Quisiera cambiar …

La señora se acerca a una de las ventanillas del banco de la estación. Le entrega un cheque al empleado.

El empleado El documento de identidad, por favor.
La señora Espere … ¡vaya! No lo llevo. ¿Va bien con el permiso de conducir?
El empleado Sí, sí. Escriba su nombre y firme al dorso, por favor. Así, muy bien.

El empleado Mire … 20, 40, 60, 80, 100, 120 y 5, 125 euros.
La señora ¿Me quiere cambiar este billete de cinco?
El empleado ¿En monedas de un euro?
La señora Sí, por favor.
El empleado Tenga, aquí tiene.

Un señor Haga el favor de cambiarme estos diez mil pesos mexicanos.
El empleado Muy bien.
El señor Quisiera también cambiar este cheque de viaje de cincuenta dólares.
El empleado Para eso vaya a la ventanilla de aquí al lado.

Billetes de banco de algunos países latinoamericanos

8 ¡Esto es un atraco!

Un niño Oiga, señora, ¿hay un banco por aquí cerca?

La dependienta ¿Un banco? Pues mira: baja por esta calle hasta la próxima esquina. Tuerce a la izquierda y sigue todo derecho hasta una pequeña plaza. Cruza la plaza, y allí enfrente hay un banco.

El viernes 9 de noviembre, a las 8.30 de la mañana, una pequeña sucursal del Banco Popular abrió sus puertas al público. La primera persona que entró fue un niño de unos 8 ó 10 años. Se dirigió con pasos decididos a la ventanilla de información. La empleada le sonrió amablemente.

—¿Puedo ayudarte? —le preguntó.
—¿Es esto el banco? ¿Es aquí donde está el dinero?
—Aquí es, sí, pero esta es la ventanilla de información. El dinero está allí enfrente, en la ventanilla de caja, ¿la ves? La número dos.
—¿Seguro?
—¡Seguro! —dijo la empleada—. Pero dime, ¿qué haces aquí? ¿Dónde están tus padres?

El niño no contestó. Se fue derecho a la ventanilla número dos. Sacó una pequeña pistola y apuntó con ella a la cajera, una señora un poco mayor, con gafas y pelo rubio.

—¡Esto es un atraco! ¡El dinero! ¡En seguida!

La cajera tuvo que levantarse de su asiento para poder ver al niño al otro lado del mostrador. Cuando la pobre señora vio el arma se asustó mucho y, antes de poder reaccionar, le dio dos o tres billetes de veinte euros.

El niño los cogió y corrió hacia la puerta. En un momento desapareció entre toda la gente de la calle.

La policía tuvo dificultades para identificarlo porque, como era tan pequeñito, la cámara del banco no pudo filmarlo. Lo encontraron, sin embargo, poco después en una cafetería del centro. Allí estaba el joven atracador. Estaba comiéndose, con cara de gran felicidad, una enorme hamburguesa doble especial.

Sobre la mesa, envuelta en una servilleta de papel, estaba el arma: una pistola de plástico.

9 En la comisaría

Entra una joven.

La joven Buenas tardes.

El policía Muy buenas, señorita. A ver, dígame. ¿Qué le ha ocurrido?

La joven He perdido el bolso.

El policía ¡Vaya! ¿Y cómo ha sido?

La joven Pues mire usted. Yo estaba en el cine Lope de Vega. Luego salí y, de repente, ya en la calle, me di cuenta de que no llevaba el bolso. Volví corriendo al cine a ver si estaba allí, pero no, no lo encontré.

El policía ¿Y cuándo fue eso?

La joven Hace más o menos media hora.

El policía ¿Y qué había en el bolso? ¿Cosas de valor?

La joven Pues tenía el monedero con unos cien euros, mi documento de identidad, las llaves de casa …

El policía Espere usted. Un señor acaba de dejar aquí un bolso … Su bolso, señorita, ¿de qué color era?

La joven Marrón oscuro.

El policía ¿Su nombre …?

La joven Teresa Fernández Flórez.

El policía Mire, señorita, tiene usted suerte. Aquí está su bolso.

Entra corriendo un señor muy excitado.

El señor ¡Es terrible esto! ¡Una verdadera vergüenza! Me han robado el coche. ¡Y ya es la segunda vez!

El policía Cálmese, cálmese, por favor. A ver, … ¿dónde estaba?

El señor ¿Yo?

El policía No, hombre, el coche.

El señor Pues en la calle Cervantes, en el aparcamiento donde siempre lo dejo. Lo puse allí por la mañana, y cuando he ido a recogerlo ahora por la tarde, ya no estaba. ¡Una vergüenza!

El policía Bueno, mire, siéntese allí, rellene esta hoja y espere un momento. Pero cálmese, hombre, ¡que no es para tanto!

Después de un rato entra un joven, casi llorando.

El policía Pero, hombre, ¿qué te pasa?

El joven Que ha desaparecido mi mochila.

El policía Bueno, bueno, vamos a ver. ¿Dónde ha desaparecido?

El joven En la estación, en la sala de espera.

El policía Ya. ¿Y cuándo ha sido eso?

El joven Hace aproximadamente una hora. Eran las cinco y pico. Yo estaba allí en un banco leyendo un periódico. De pronto, me di cuenta de que la mochila ya no estaba.

El policía Y en la mochila, ¿qué había?

El joven Todo mi equipaje, señor. Mi ropa, las sandalias, el saco de dormir … todo.

El policía ¿También tu pasaporte?

El joven No, el pasaporte, la tarjeta interrail y la cartera con el dinero no.

El policía ¡Menos mal! Bueno, vamos a ver …

10 Recortes

¿Ladrón honrado?

El jueves de la semana pasada cuando Juan Donoso salió de su casa para ir al trabajo no pudo encontrar su coche. Alguien lo había robado. Juan tuvo que tomar el metro. Denunció el robo a la policía.

Al día siguiente por la mañana el coche estaba otra vez delante de su casa. Juan se alegró mucho, naturalmente. Dentro del coche encontró un magnífico ramo de rosas y, al lado de las flores, dos entradas para el teatro. Eran para uno de los mejores teatros de la ciudad. Juan Donoso pensó entonces que había ladrones honrados y que este ladrón era una buena persona.

Por la noche, él y su esposa fueron al teatro. Daban «Don Juan Tenorio» de Zorrilla. Les gustó mucho.

Juan Donoso y su esposa volvieron tarde a casa. Al entrar descubrieron con gran sorpresa que el piso estaba completamente vacío. Mientras ellos estaban en el teatro, el ladrón había entrado en el piso y se había llevado todo lo que había allí.

Botín de 50.000 euros

ARENAS (VALENCIA). – Tres individuos armados con pistolas atracaron, ayer por la mañana, la Caja de Ahorros de Arenas, llevándose los documentos de identidad de los empleados y utilizando el coche de uno de ellos para huir.

El botín logrado por los delincuentes fue de unos 50.000 euros. A la salida de la población, se bajaron del vehículo que habían robado al empleado de la Caja y continuaron la huida en otro turismo que tenían aparcado.

La policía está interrogando a varios testigos que se encontraban en el lugar del atraco.

Actividad

A31 **D** Escuche y conteste a las preguntas del libro de actividades.

Algunos diarios españoles

11 De nuestros lectores

La playa: ¿pesadilla urbana?

Señor Director:

Acabo de regresar con mi marido de nuestras vacaciones en la costa, en una playa no lejos de Tarragona.

Cuando nuestros hijos eran pequeños pasábamos los días enteros en la playa. Ellos jugaban a la pelota, hacían castillos en la arena y se bañaban (incluso cuando todavía no sabían nadar). Se puede decir que vivíamos en la playa. Allí comíamos casi siempre y allí era donde a todos nos gustaba estar. Aquello era un lugar tranquilo y seguro, como un verdadero paraíso.

Lo malo es que todo esto ha cambiado totalmente. Bien es verdad que el agua es como era, clara y transparente, y que el ayuntamiento mantiene la arena limpia. Pero la carretera de la costa que antes apenas tenía tráfico, ahora parece una autopista. La playa está llena de hamacas ordenadas en filas como en un cine y con más chiringuitos de los que necesitamos. Además, uno no puede alejarse nadando por miedo a que lo mate una de esas motos de agua. En fin, lo que antes era una delicia de la naturaleza, se ha convertido en una pesadilla urbana.

Yo me pregunto: y el nuevo Gobierno, ¿qué hace? ¿No dijeron antes de las elecciones que iban a tomar medidas para dar más calidad de vida a los ciudadanos? Sé que no es fácil solucionar los problemas, pero pienso que algo hay que hacer. ¡Y pronto!

Soledad Sánchez

(León)

El estrés en España

Señor Director:

Creo que la actitud de los españoles ante el problema del estrés tiene que cambiar. Llevo cuatro años en Suecia. Aquí el estrés es una de las causas más frecuentes de baja laboral y nadie siente vergüenza por ello. Mi novio acaba de reincorporarse al trabajo después de estar de baja mes y medio por estrés. En Navidad estuvimos en España y cuando lo contábamos a la gente le miraban con cara de qué delicadito.

Es duro, yo lo he vivido y puedo asegurar que no es una manera de evitar ir al trabajo al día siguiente. No somos máquinas, somos personas y tenemos que aceptar nuestras limitaciones y no exigirnos más de lo que podemos.

Rosa Claudio
(Estocolmo)

12 Colón y sus viajes

En tiempos de Cristóbal Colón (1451–1506), se creía que la tierra era plana. Pero Colón pensaba que, en realidad, era redonda. Por eso, para ir a la India por mar, no era necesario pasar por el sur de África.

Actividad

A37

A Escuche y conteste a las preguntas del libro de actividades.

El día 3 de agosto de 1492 salió Colón del puerto de Palos, en Andalucía, con tres carabelas: la Santa María, la Pinta y la Niña. Iban con Colón 120 personas, entre ellas un médico, un cura, un abogado y un intérprete.

Llegaron a Canarias y allí estuvieron unos días. Luego salieron hacia el oeste. El viaje fue cada día más difícil. A fines de septiembre la tripulación empezó a protestar, pero Colón la calmó.

Poco después vieron en el mar indicios de la proximidad de tierra: ramas de árboles, pájaros … El 12 de octubre un marinero divisó costa y pudo gritar finalmente: «¡Tierra!»

Llegaron entonces a una isla de las Bahamas, que Colón llamó San Salvador. Los españoles levantaron allí una cruz. Tres días se quedaron en esta isla y luego continuaron hacia el sur. Pasaron por muchas otras islas y llegaron finalmente a Cuba, que Colón confundió con Asia.

A mediados de enero de 1493 Colón salió para Europa y llegó a Lisboa 47 días más tarde. Después volvió a Palos. Marchó luego por tierra a Barcelona, donde se encontraban los Reyes Católicos. Colón les trajo de América a algunos indios, oro y unos loros. Los Reyes recibieron a Colón y prometieron ayudarle en más expediciones.

El 25 de septiembre del mismo año, Colón salió por segunda vez para las Indias. Ahora llevaba 17 barcos con más de 1.500 personas, muchos nobles, curas, campesinos, soldados y artesanos. En los barcos llevaban semillas, caballos y vacas.

En 1498 hizo su tercer viaje y en 1502 el cuarto.

Colón pasó los últimos años de su vida en España, enfermo y solo. Murió en Valladolid el 20 de mayo de 1506.

Hasta su muerte Colón creyó que las tierras que había descubierto eran parte de Asia.

Los europeos encontraron en América:	Los europeos llevaron a América:
la patata	el banano
el maíz	el arroz
el cacao	el trigo
el tabaco	el café
el tomate	la caña de azúcar
la vainilla	el caballo
el chocolate	la vaca
el caucho	el cerdo

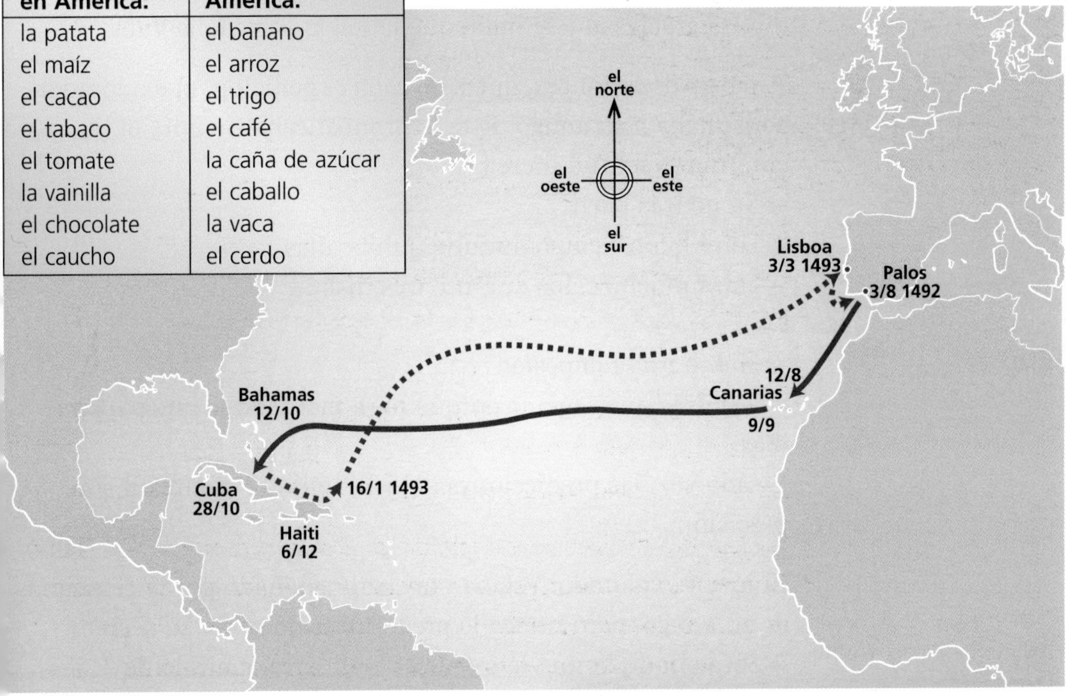

El primer viaje de Colón

El nombre de Colón

pervive en el nombre de un país, Colombia, y de varios pueblos y ciudades de América. El 12 de octubre, fecha de la llegada de Colón al Nuevo Mundo, es en muchos países hispánicos una fiesta importante.

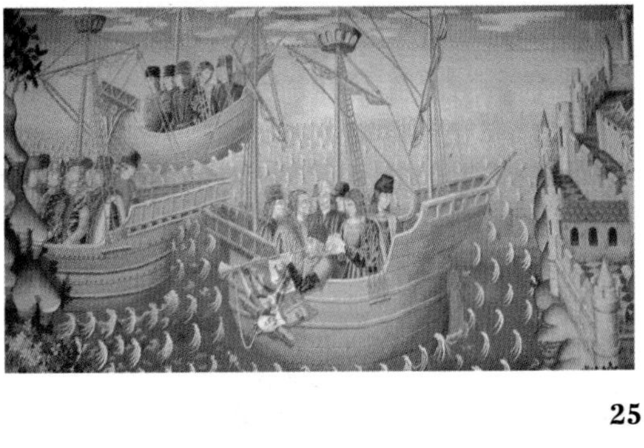

13 Un secreto indio

Un joven explorador norteamericano llegó un día a una aldea de la región amazónica. En esta aldea vivía una tribu de indios pacíficos. Muy pronto, el jefe de la tribu, un viejo de unos ochenta años, hizo amistad con el explorador. Un día el viejo indio le dijo al explorador:
—Yo sé que has organizado una expedición a la selva y que quieres salir mañana. Pero escúchame ... Quédate en la aldea con nosotros. Esta noche empezará a llover fuerte y lloverá durante veinte días. Si después hace buen tiempo —si quieres— yo iré contigo.

Aquella noche, tal como había dicho el viejo, empezó una horrible tempestad que duró veinte días. El joven explorador dio las gracias al jefe indio que le había salvado la vida.

A partir de entonces, antes de cada expedición, el explorador consultaba a su amigo. Este le pronosticaba siempre el tiempo con una exactitud increíble:
—Sí, podrás partir ...
—Hará buen tiempo durante quince días ...
—Hará mucho calor durante tres días ...
O:
—Habrá una tempestad ...
—Tendrás que esperar porque hará mal tiempo cinco o seis días.
Y cada vez, las predicciones del jefe indio se cumplían con precisión.

El joven explorador estaba muy impresionado por la ciencia de su amigo, pero nunca le preguntó nada sobre su secreto.
—Será sin duda un viejo secreto indio, transmitido de generación en generación. Si yo le pregunto, él quizás se enojará y nunca más me dirá nada.

Finalmente, después de seis meses, el explorador norteamericano tuvo que volver a su país. El día de su salida, el jefe indio lo llamó y le dijo:
—Eres un joven muy simpático y estoy muy contento de haber podido ayudarte. Ahora me toca a mí pedirte un favor. Dentro

de poco estarás en Nueva York. Allá, ¿podrás comprarme pilas nuevas para mi radio transistor? Las que tengo están bastante gastadas y muy pronto no podré escuchar más las informaciones meteorológicas de la radio. Pronto vendrán otros exploradores y, con las pilas nuevas, podré ayudarles igual que a ti.

Reprinted by permission of D.C. Heath and Company.

Actividad

A45 **H** Escuche e indique si las frases del libro de actividades son verdaderas o falsas.

Construcción de una casa con el tejado de palma

14 El Nuevo Mundo

Después del descubrimiento de América, muchos españoles cruzaron el Atlántico para explorar y conquistar aquellas tierras desconocidas.

En el Nuevo Mundo los españoles encontraron algunos pueblos indios bien organizados que vivían en sociedades desarrolladas, como los aztecas (en México), los mayas (en Centroamérica y en el sur de México) y los incas o quechuas (sobre todo en los Andes de Ecuador, Perú y Bolivia).

Motivo azteca. Estas esculturas se encuentran en el Museo Antropológico de la ciudad de México.

«La piedra del Sol», el calendario azteca, fue encontrada en 1790 en el lugar que hoy es el centro de la capital mexicana. La piedra, ahora sin los magníficos colores que tenía originalmente, pesa unas 12 toneladas y tiene un diámetro de 3,5 metros. Dice la leyenda que los aztecas necesitaron 52 años para hacer este calendario.

Todos ellos fueron en poco tiempo dominados por los españoles. Hernán Cortés y sus soldados sometieron a los aztecas y conquistaron México en 1521. A los incas los sometió Francisco Pizarro en 1534.

La colonia

A mediados del siglo XVI prácticamente toda América estaba ya en poder de los españoles. La excepción más importante fue Brasil, donde se establecieron los portugueses. La lengua de los colonizadores y la religión católica se extendieron rápidamente por aquellas tierras.

Mercado típico de Yucatán

Artesanía popular en la región de Cuzco

Los españoles que se trasladaron allá fueron en América la clase social dominante. Para ellos trabajaron los indios y los esclavos negros importados desde África por comerciantes de varios países europeos.

Las sociedades americanas cambiaron bruscamente: muchos indios murieron, otros huyeron de sus pueblos y el resto tuvo que trabajar en los latifundios y las minas de los colonizadores para producir alimentos y algo que se podía enviar fácilmente a España: oro y plata.

Durante varios siglos, gran parte de América dependió política y culturalmente de España.

A principios del siglo XIX, los descendientes de los inmigrantes españoles nacidos en América, «los criollos», se rebelaron contra España. Después de varios años de lucha, lograron independizarse. Sin embargo, las condiciones de vida de la mayoría de los indios y los esclavos no mejoraron mucho con la independencia.

El líder venezolano Simón Bolívar (1783–1830) tuvo el sueño de una América Latina unida y con un solo gobierno.

El general argentino José de San Martín (1778–185 fue otro de los muchos héroes latinoamericanos qu lucharon por la independencia.

CEMEX es una de las tres compañías de cemento más importantes del mundo. Esta fábrica se encuentra al norte de la ciudad de México.

Los nuevos estados

Al entrar en su nuevo período histórico, la antigua colonia se dividió en una serie de naciones, como México, Chile, Paraguay, Argentina y varias más. Todos estos países comenzaron entonces una época difícil en la que fueron frecuentes las revoluciones y las dictaduras.

La población en algunos países crece rápidamente. Es muy difícil resolver algunos problemas sociales como el paro, el analfabetismo y la falta de viviendas.

Todavía hoy la riqueza está en general mal repartida. Aunque en algunos países como México y Argentina hay importantes centros industriales, América Latina sigue siendo un continente en desarrollo y depende económicamente demasiado del exterior.

Las diferencias entre los diecinueve países en los que se habla español son grandes. En muchos de ellos hay zonas desarrolladas con modernos centros industriales y científicos comparables a los de los países más desarrollados del mundo.

15 ¿Una vida mejor?

Muchos mexicanos que no pueden encontrar trabajo en su país, emigran al poderoso vecino del norte. En los últimos cien años han emigrado legalmente más de 15 millones de mexicanos, además de varios millones que lo han hecho ilegalmente.

En un café de San Antonio, un pueblecito en el norte de México, hablan Raúl y Laura.

Laura ¿Te has decidido por fin, Raúl?

Raúl Sí, ya no lo pienso más. Me iré al norte, a California. Acá, ya lo ves, es imposible ganarse la vida.

Laura ¿Y no sería mejor irse a México?

Raúl ¿Qué haría yo en la capital? En México tampoco encontraría trabajo, con el desempleo que hay allá. Me moriría de hambre. En el norte sí, allá seguro que voy a encontrar algún trabajo, en la lechuga quizás o en el algodón … Me quedaré allá unos meses, y después volveré con algunos dólares.

Laura ¿Pero te vas a ir solo?

Raúl No, el otro día hablé con Víctor y me dijo que él iría conmigo.

Laura Tú sabes que es difícil pasar la frontera …

Raúl Sí, claro, pero la pasaremos de noche, así no nos descubrirán los helicópteros de la Inmigración.

Laura Te deseo mucha suerte, Raúl. Pero cuidado: si los americanos te agarran, te devolverán.

Raúl Bueno, pues si me agarran … entonces haré otro intento …

Triste final de una ilusión

El Mañana de Nuevo Laredo **Local** LUNES 13 de Agosto del 2001 **5/B**

Un tren destroza sueño de migrante

Edgar Arnoldo Chávez, perdió su pierna cuando intentaba cruzar hacia Estados Unidos

Por: Lesy Karina Mendoza
EL MAÑANA

Edgar Arnoldo Chávez es uno de tantos migrantes que día a día llegan a esta frontera para intentar cruzar hacia Estados Unidos buscando el sueño americano, pero a él la suerte

Retenidos en Barajas 61 ecuatorianos a la espera de ser retornados

Al menos 61 ecuatorianos permanecían anoche retenidos en el aeropuerto madrileño de Barajas por el Grupo de Inmigración, a la espera de ser devueltos a su país. De los 96 que llegaron el viernes en el mismo vuelo desde la República Dominicana a 25 se les

22/ESPAÑA

LOS PROBLEMAS DE LOS INMIGRANTES

Detenidos 199 marroquíes en Tarifa, algunos por segunda vez esta semana

Cruz Roja asegura que muchos 'sin papeles' intentan regresar nada más ser expulsados

CÁNDIDO ROMAGUERA, Algeciras

La llegada masiva de inmigrantes indocumentados a las costas de Tarifa (Cádiz) continuó en la ...r tras ser apresadas cuatro embarcaciones en las que viajaban 199 personas de ...uí. Los voluntarios de la Cruz Roja pudieron verificar la rapidez con la que los ... son devueltos a Marruecos intentan inmediatamente entrar ilegalmente en ...de los detenidos ayer habían sido expulsados esta misma semana.

Recibe Tamaulipas 87 mil mexicanos repatriados de EU

Suman 79 mil hombres y casi ocho mil mujeres deportadas en este año, informa Migración

La delegada regional del Instituto nacional de Migración (INM), Laura Montaño Jasso, informó que en los primeros 7 meses del año y hasta el 5 de agosto, fueron repatriados de Estados Unidos por Tamaulipas, un total de 87 mil 415 mexicanos que se encontraban como indocumentados en aquel país, mientras que 635 centroamericanos fueron asegurados y expulsados a sus países de

26 IDEAL | ESPAÑA

173 'ilegales' detenidos en operaciones por tierra y mar

Se trata de la **segunda mayor avalancha** del verano

El PAÍS, domingo 15 de julio de 2001 ESPAÑA/**23**

LOS PROBLEMAS DE LOS INMIGRANTES

Alerta policial ante el aumento de las redes que secuestran y extorsionan a inmigrantes

Mafias que se anuncian en Marruecos

16 Hispanos

México, España, Argentina y Colombia son los cuatro países del mundo que tienen más población de lengua española. Pero, ¿cuál viene luego como número cinco? ¿Perú? ¿Venezuela? ... No, ¡los Estados Unidos!

Cuando uno viaja por California, Colorado, Nevada, Texas o Nuevo México, cuando uno visita Nueva York o Miami y entra en las tiendas y restaurantes o viaja en autobús o en metro, se oye hablar español por todas partes.

En los territorios que hoy constituyen el sur y el oeste de los Estados Unidos (que México perdió en una guerra a mediados del siglo XIX), el español sigue siendo una lengua muy hablada.

El español va ganando terreno también en otras partes del país, gracias a la continua inmigración de mexicanos, puertorriqueños, cubanos y de otros muchos hispano-americanos. Se contaba con que para principios del siglo XXI habría en los EE UU más *hispanics* (hispanos) que *blacks* (negros).

Joan Baez, popular cantante de raíces mexicanas

Muchos hispanohablantes están orgullosos de su lengua y su cultura y defienden su derecho a hablar español.

Así cuenta un periodista europeo: Estoy en California. Paso en autobús por un barrio obrero de Los Ángeles. Voy sentado junto a un hombre que lleva a su hijo en brazos. El niño, que apenas tendrá tres años de edad, habla ya con mucha soltura. Le comento esto al padre, que entonces me explica con orgullo que es de México y que él quiere que su hijo hable español.

Países donde la lengua española es oficial y su población

País	*Población*
Argentina	36.956.000
Bolivia	7.767.000
Chile	14.583.000
Colombia	36.200.000
Costa Rica	3.468.000
Cuba	11.190.000
Ecuador	11.937.000
El Salvador	5.662.000
España	39.996.000
Guatemala	11.242.000
Guinea Ecuatorial	443.000
Honduras	5.823.000
México	94.275.000
Nicaragua	4.632.000
Panamá	2.088.000
Paraguay	5.089.000
Perú	24.371.000
Puerto Rico	3.809.000
Uruguay	3.185.000
Venezuela	22.777.000
Total	**342.450.000**

Actividad

A54 F Escuche la canción y rellene el texto en el libro de actividades.

17 México

Datos sobre México

Nombre oficial:	Estados Unidos Mexicanos
Superficie:	1.973.000 kilómetros cuadrados
Población:	94.275.000 habitantes
Capital:	México D.F. (= Distrito Federal), 22.000.000 habitantes
Lenguas:	español, náhuatl, maya y otras
Exportaciones:	algodón, azúcar, café, cemento, gas, petróleo
Importaciones:	maquinaria, productos químicos, papel, vehículos
Moneda:	el peso mexicano

México D.F.

Está situada entre montañas y lagos y a 2.240 metros sobre el nivel del mar. Aunque nadie sabe con exactitud cuánta gente vive en la ciudad de México, sí se sabe que es la ciudad más poblada del mundo y que sigue creciendo. A ella llegan nuevos ciudadanos de otras partes del país que intentan encontrar allí un medio de vida. Sin embargo, este crecimiento no parece ser tan rápido como se había previsto.

Mural de Diego Rivera (1886–1957), Palacio Nacional

Plaza de la Constitución

La contaminación causada por el tráfico en la ciudad de México es un problema gravísimo. Si no se toman medidas drásticas, esta ciudad tan fascinante estará al borde del colapso dentro de unos años. La avenida de los Insurgentes, con 25 kilómetros de longitud, es la calle más larga del mundo.

El terremoto de 1985 (8,1 de la escala de Richter) causó relativamente pocos destrozos en los millones de edificios de la ciudad. Esto es un testimonio de la gran obra de sus arquitectos e ingenieros, quienes han sabido construir estructuras capaces de sobrevivir tales seísmos.

La revolución

Cien años después de la independencia, en 1910, estalló en México una violentísima revolución. En ella se destacaron los líderes campesinos Emiliano Zapata y Pancho Villa.

Hacia 1930 se llevaron a cabo importantes cambios en el país, como la nacionalización de los yacimientos de petróleo y una reforma agraria. A partir de entonces gobernó en México el partido político PRI (Partido Revolucionario Institucional) hasta el 2000, año en que el PAM (Partido de Acción Nacional) ganó las elecciones.

Población, agricultura, industria y turismo

La población de México aumenta rápidamente. La mortalidad infantil es relativamente baja, y se puede decir que su población es muy joven. El gobierno está intentando crear nuevas escuelas, nuevos hospitales y fábricas.

Se calcula que el 15 % de los habitantes de México son blancos, el 55 % mestizos y el 30 % indios. Los indios mexicanos, descendientes de los antiguos aztecas, mayas y otros muchos pueblos, hablan todavía más de 50 lenguas diferentes.

Paseo de la Reforma, México D.F.

Refinería de petróleo de PEMEX

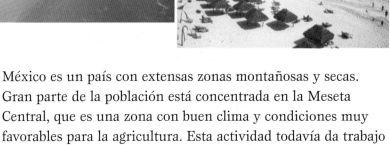

Cancún atrae a miles de turistas para disfrutar de sus magníficas playas y de la cultura mexicana.

México es un país con extensas zonas montañosas y secas. Gran parte de la población está concentrada en la Meseta Central, que es una zona con buen clima y condiciones muy favorables para la agricultura. Esta actividad todavía da trabajo a muchos mexicanos, aunque la industria ha tenido un desarrollo constante en los últimos decenios. El turismo es otra actividad económica importante y está en constante aumento.

México es, además, un país rico en minerales. Por sus minas de plata, México fue uno de los centros más importantes del imperio colonial español, y el país estuvo dominado por grandes terratenientes. Durante los años de la independencia los campesinos reclamaron tierras, pero no lograron prácticamente nada. Este es un problema que aún está vivo en algunas zonas del país.

En los últimos años se ha desarrollado mucho la explotación de los abundantes recursos petrolíferos del Golfo de México y la industria mexicana en general. México es, en muchos aspectos, un país moderno con un sistema social avanzado.

Actividad

D Escuche la conversación entre Alicia y Jorge.
No saben mucho acerca de la vida mexicana. Hay siete errores. ¿Cuáles son? Corríjalos.

18 Una llamada misteriosa

En la madrugada del 23 de febrero de 1978, unos trabajadores estaban excavando en el suelo de la ciudad de México para instalar unos cables eléctricos. Tropezaron entonces con una gran piedra que les impedía avanzar. Las obras se desarrollaban en el cruce de las calles Guatemala y Argentina, y a pocos pasos de la plaza de la Constitución.

Aquel mismo día, a las nueve de la mañana, alguien que no quiso dar su nombre llamó por teléfono al Instituto Nacional de Antropología e Historia. Dijo que en la calle de Argentina habían hecho un importantísimo descubrimiento, y que tenía que presentarse allí inmediatamente algún arqueólogo.

A aquellas horas, nadie sabía nada de ningún descubrimiento, y en el Instituto no prestaron atención a esa llamada.

Dos horas después, la misma persona volvió a llamar para insistir en que era necesaria la presencia de los arqueólogos en aquel lugar. Había aparecido allí algo —dijo— que nadie se esperaba.

La Catedral en la plaza de la Constitución, más conocida por El Zócalo

La diosa azteca Coyolxauhqui (Luna)

Ante la insistencia de aquellas misteriosas llamadas, un arqueólogo se dirigió al lugar de las obras. Después de mirar y remirar durante un buen rato, llamó a otros colegas, que llegaron rápidamente. Durante horas, estuvieron estudiando y analizando aquel gran bloque de piedra. Antes de terminar el día, todos estuvieron de acuerdo:

—Es Coyolxauhqui, la diosa de los cascabeles en las mejillas.

La noticia se extendió en seguida por toda la ciudad. Al día siguiente, la prensa y la televisión, los expertos, las autoridades, hasta el mismo Presidente de la República, todos fueron a admirar la escultura de la vieja diosa azteca. Se trataba de una magnífica talla de piedra rosa de tres metros de diámetro. Una verdadera maravilla arqueológica.

Nadie ha podido nunca explicar quién fue la persona que hizo aquellas llamadas. En México hay gente que piensa que sólo hay una explicación: aquella anónima voz era en realidad la voz de la diosa misma ...

Actividad

A58 **F** Escuche la canción.

Arquitectura azteca, colonial y mexicana en la plaza de las Tres Culturas, en México

19 Gente

1

◆ Le presento a mi esposa.
❍ Encantado.
■ Mucho gusto.

2

◆ ¿Qué hora es, por favor?
❍ Lo siento, no llevo reloj. Pero serán las siete y pico.

3

◆ Por favor, ¿le importaría acercarme el cenicero?
❍ No, claro que no.
◆ No le molesta el humo, ¿verdad?
❍ No, no, en absoluto.

4

◆ Oiga, ¿me podría prestar su programa?
❍ No faltaba más. Tómelo.
◆ Muy amable, gracias.
❍ No hay de qué.

5

- ◆ Perdone, ¿me podría indicar dónde están los servicios?
- ❍ Baje esta escalera y allí los encontrará a la derecha.
- ◆ Muchas gracias.
- ❍ De nada.

6

- ◆ Deme un Farias y una caja de cerillas, por favor.
- ❍ Tenga. Es un euro.
- ◆ Aquí tiene. Gracias.
- ❍ A usted.

7

- ◆ Perdone, ¿esta entrada es suya?
- ❍ No, no es mía. No sé de quién será.

8

- ◆ ¿Va bien ese reloj?
- ❍ No sé. El mío se ha parado.

20 No sé qué hacer ...

Profesor Ángel Pérez
Consultorio «El psicólogo responde»
El Correo Bogotano
Carrera 7ª 19–27
Bogotá

Estimado profesor:

Soy holandés, tengo 26 años y trabajo desde hace un año en una sucursal de una compañía holandesa aquí en Bogotá. Me gusta mucho mi trabajo y la ciudad, y tengo amigos bogotanos.

Tengo sin embargo un problema que no sé cómo resolver y quiero que usted me ayude con un buen consejo. Se trata de lo siguiente:

Hace unos meses conocí a una chica en una fiesta y desde entonces estoy locamente enamorado de ella. Hemos salido juntos algunas veces y creo que yo también le gusto a ella. La chica tiene 19 años y vive con sus padres. El problema es que sus padres no quieren que nos veamos, no quieren que vayamos juntos a ningún sitio ni tampoco permiten que yo la visite en su casa.

Hace unos días la llamé por teléfono y contestó su hermano mayor. No me dejó hablar con ella. Me dijo que la familia no quiere que la llame ni que salgamos juntos.

¿Será porque saben que no soy católico? ¿O porque las costumbres de nuestros países son tan distintas? ¿Qué me aconseja usted? ¿Me recomienda que le escriba? Espero que me conteste usted pronto, pues no sé qué hacer.

Un enamorado

21 Buzón de amigos

SECCIÓN 2

Enfermera, 28 años, 1,65, físico agradable y simpática, deseo relacionarme con chico serio y formal. Es importante que sea cariñoso, comprensivo e inteligente. Pero sobre todo quiero que tenga total independencia económica, y que esté libre de compromiso, para que quizás un día podamos formar juntos una familia feliz. Me gusta la música clásica y la vida hogareña. Todavía creo en el matrimonio.
No. buzón: 4149

Ingeniero, 53 años, 1,78, divorciado y sin hijos. Soy muy aficionado a los deportes, y juego al golf. Además colecciono monedas romanas. Aunque tengo bastantes amigos, en el fondo me siento muy solo. Me gustaría conocer a chica de 30 a 40 años para relación estable. No es necesario que sea guapa, pero sí deseo que sea inteligente, culta, cariñosa, y que tenga sinceridad conmigo.
No. buzón: 4203

Me aburre la soledad. Una amiga me ha dicho que envíe una carta a esta sección «Buzón de amigos» y tengo un poco de miedo porque no creo que nadie me escriba. Deseo conocer a gente que viva en Pamplona o en los alrededores. Necesito a alguien que tenga paciencia y sentido del humor. Me gusta esquiar, viajar, bailar y escuchar música moderna.
No. buzón: 4167

Actividad

A64 **E** Escuche y conteste a las preguntas del libro de actividades.

Voy a contarte

Voy a contarte
en secreto
quién soy yo,
así,
en voz alta
me dirás
quién eres,
en qué taller trabajas,
en qué mina,
cómo te llamas,
dónde vives,
calle y número,
para que recibas
mis cartas,
para que yo te diga
quién soy
y dónde vivo …

Pablo Neruda
(Chile, 1904–73)

22 Cuando termine mis estudios ...

Cuando termine mis estudios empezaré a buscar trabajo. Me gustaría encontrar algo con buen sueldo. Sin embargo, es más importante que me guste y que sea en el campo del medio ambiente o la ecología.

Ese trabajo ideal sería con una organización que se dedique a preservar las especies raras de plantas y animales. También es importante que organice el acceso del público a lugares de interés por senderos que respeten la tierra y el ecosistema.

Cuando haya encontrado ese trabajo, buscaré una vivienda que esté cerca, porque me gustaría poder ir a pie o en bicicleta. Pero ..., ¿qué tipo de vivienda? Me gustaría tener una casa con jardín, o mejor, con un huerto para poder cultivar frutas y verduras ecológicas.

Sé que no será fácil encontrar este trabajo, ya que no tengo experiencia en este campo. Por eso, este verano haré trabajo voluntario con unos amigos. Ayudaremos en las obras de limpieza de un río contaminado. Espero que podamos aprender mucho y que nos divirtamos también.

Eva

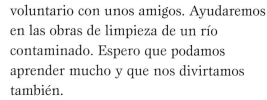

Actividad

A65 **D** Escuche y complete el árbol genealógico en el libro de actividades.

Árboles para la selva tropical

23 Resérvenme …

Ginebra, 15 de abril de 20…

Hotel Colón
Avenida Reyes Católicos, 4
11002 Cádiz

Estimados señores:

Les agradeceré que me reserven una habitación individual con baño y desayuno desde el 16 al 30 de junio, ambos inclusive. Si puede ser, deseo que el cuarto dé a un patio interior o a una calle tranquila.

Les ruego me confirmen la reserva lo antes posible, y que me digan si aceptan animales en el hotel, ya que tengo la intención de ir con mis dos perros.

Mi dirección electrónica es: <soliver@compuserve.com>
Les saluda atentamente

Sofía Oliver

De: coloncadiz@lineone.net
Fecha: 19 de abril, 20… 16:43
Para: Sofía Oliver <soliver@compuserve.com>
Asunto: Reserva 16-30 junio

Distinguida señora:

Tenemos el gusto de confirmarle que le hemos reservado la habitación que nos ha pedido, una individual con baño que da a una calle tranquila. Nos complacerá recibirla el día 16 de junio.

Sin embargo, sentimos comunicarle que no podemos aceptar animales.

Sin otro particular, aprovechamos esta oportunidad para saludarla muy atentamente.

Manuel García Pérez
Jefe de Recepción

De: Sofía Oliver <soliver@compuserve.com>
Fecha: 19 de abril, 20… 18:07
Para: coloncadiz@lineone.net
Asunto: Reserva 16-30 junio

Muchas gracias por su e-mail. Por favor, cancelen la reserva.

Atentamente
Sofía Oliver

24 Urbanización La Palmera

VACACIONES EN LA PLAYA

Urbanización La Palmera

Precios módicos

Apartamentos de 1 habitación: 300 €/semana
2 habitaciones: 420 €/semana

Todas las comodidades, y la mayoría de los apartamentos con vistas al mar.

Haga su reserva hoy mismo.

Teléfono: **928 27 94 06** de 5 a 8 de la tarde
E-mail: **urbapalmera@canarias.es**
www.urbapalmera.canarias.es

INFORMACIÓN A LOS SEÑORES HUÉSPEDES

- Las cocinas de la urbanización funcionan con electricidad. Les rogamos lean las instrucciones sobre su uso.
- Dos veces por semana tiene lugar el cambio de sábanas, toallas, paños de cocina, manteles y servilletas. Les agradeceremos que depositen la ropa usada en la cesta que encontrarán en el cuarto de baño.
- Si algo no funciona bien, por favor, no intenten arreglarlo ustedes mismos. Avísennos y les enviaremos a uno de nuestros empleados.
- En el plano adjunto encontrarán ustedes marcados los lugares donde se encuentran el supermercado, nuestra oficina y otros servicios de la urbanización. Recuerden que los domingos y días de fiesta nuestra oficina está cerrada.
- Por favor, no olviden entregar las llaves del apartamento el día de su salida definitiva.

La Dirección de la URBANIZACIÓN LA PALMERA desea que pasen ustedes unas agradables vacaciones en este apartamento.

Actividad

A69 **B** Escuche y conteste a las preguntas del libro de actividades.

Algo no funciona

El señor Álvarez	Oiga, ¿es la oficina de La Palmera?
Una señora	No, señor. Se ha equivocado de número.
El señor Álvarez	Usted perdone.
	…
El señor Álvarez	¿La Palmera?
Una empleada	Sí, señor, diga.
El señor Álvarez	Mire, estamos en el apartamento 32A. Resulta que la ducha no funciona. No sale el agua caliente.
La empleada	¿Cómo que no funciona? Si acabamos de arreglarla hace un par de días. ¿Ha abierto bien los grifos?
El señor Álvarez	Señora, por favor, ¿qué cree? Claro que sí. Tiene que ser algo del calentador …
La empleada	Pues espere un momento … Mire, ahora pronto subirá el fontanero.
El señor Álvarez	Ah, podría usted pedirle que nos traiga un rollo de papel higiénico … y unas perchas. En el armario hay sólo tres.
La empleada	Papel higiénico y perchas. Muy bien. La camarera lo llevará en seguida. No tardará.

25 Las Islas Canarias

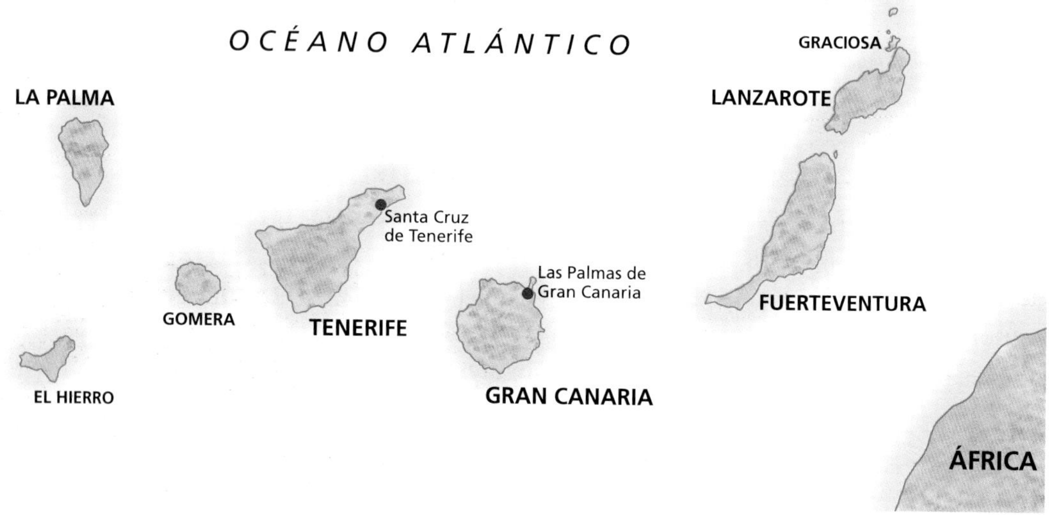

El archipiélago canario, situado a sólo 115 kilómetros de la costa de África, fue colonizado por los españoles en el siglo XV. Está formado por siete islas principales de origen volcánico.

El clima es muy agradable todo el año: templado, seco y con temperaturas regulares. Llueve poco, sobre todo en el sur de las islas. Las tierras que están en el norte son más húmedas y allí la flora es muy rica y variada. En las montañas elevadas hay nieve.

La agricultura y la pesca son actividades económicas tradicionales. Entre los cultivos destacan: el famoso plátano, el tomate (que se puede cosechar todo el año), la patata o «papa», frutas tropicales como el aguacate y la chirimoya, y el tabaco. Sin embargo, el turismo es la fuente de ingresos más importante de las Canarias.

La isla más poblada es Gran Canaria. Su capital, Las Palmas, es una de las diez ciudades más grandes españolas. Tiene algunas playas de fama internacional como las Canteras, en la misma capital, y Maspalomas, en el sur. El interior de la isla es muy montañoso.

Tenerifc es la isla más extensa del archipiélago. La capital, Santa Cruz de Tenerife, está en el norte. En el centro de la isla se levanta el Teide, 3.710 metros, la montaña más alta de España.

La Palma, Gomera y El Hierro son también montañosas. Lanzarote y Fuerteventura son más llanas y las menos pobladas.

Este archipiélago es privilegiado por el clima pero, para los astrónomos, lo es más por la claridad de su cielo. En la universidad de La Laguna, en el norte de Tenerife, se encuentra el Instituto de Astrofísica de Canarias (IAC). Este organismo coordina los esfuerzos de numerosos astrónomos que pasan las noches observando incansablemente el universo. En 1985 se inauguró el Observatorio Europeo, situado a 2.400 m en el Teide. Más reciente es el observatorio de la isla de La Palma a 2.426 m de altitud. Una vez al año se apagan todas las luces de esta isla para deleite de los científicos.

El observatorio de la isla de La Palma

El famoso plátano canario

Playa de Las Palmas de Gran Canaria

Cañadas del Teide, Parque Nacional de la isla de Tenerife

Caldera de Taburiente, Parque Nacional de la isla de La Palma

26 ¿Qué nos recomienda?

Actividad

A Escuche y conteste a las preguntas.
1 ¿Quién llama? **2** ¿Por qué? **3** ¿Para cuándo?

Entra un señor y una señora. Llega el maître.

El señor Buenas tardes. Hemos reservado una mesa para las nueve.
El maître Buenas tardes. ¿A nombre de quién?
El señor Blanco.
El maître Ah sí … era para dos personas. Por aquí, es la mesa redonda del rincón. Les traigo la carta en seguida.

Restaurante La Abuela

Calle de Jesús, 18, Málaga Teléfono 951 23 45 67

Carta

I.V.A. incluido

Entradas

Ensalada de la casa	3,20
Gazpacho	3,10
Surtido ibérico	7,50
Sopa de ajo	3,10
Revueltos de: espárragos, gambas o jamón	4,00

Pescado

Merluza a la plancha o frita	15,00
Besugo al horno (para dos personas)	20,00
Bacalao a la vizcaína	12,00
Rape en salsa	12,00
Trucha a la navarra	9,50
Pulpo a la plancha	10,00

Carnes

Pollo al ajillo	6,70
Filete de ternera a la plancha	11,00
Cordero asado	13,50
Solomillo al champiñón	11,50
Paella (mínimo dos raciones)	22,00

Postres

Flan de la casa	4,00
Natillas	4,00
Arroz con leche	4,00
Fresas con nata o chocolate	4,70
Helados variados	3,70
Fruta del tiempo	3,50

Le ofrecemos una cuidada **Carta de Vinos**

Menú del día: 21,50 €

HORAS DE SERVICIO:

ALMUERZO de 1:00 a 4:00 – CENA de 8:00 a 12:00

ABIERTO TODOS LOS DÍAS HAY HOJA DE RECLAMACIÓN

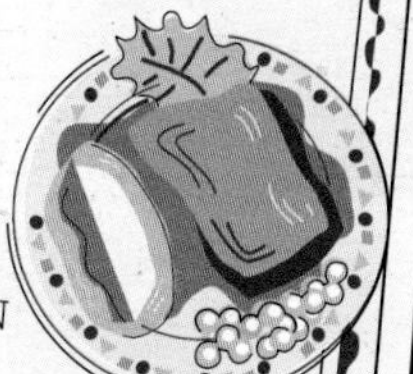

Llega un camarero.

El camarero Señores …

El señor Un momento … a ver, ¿qué nos recomienda?

El camarero ¿Desean alguna entrada?

La señora A mí me apetece algo ligero.

El camarero El gazpacho es muy bueno.

La señora ¿Sí? Está bien. Un gazpacho entonces. ¿Para ti también, Luis?

El señor Sí, también yo.

La señora La merluza no será congelada.

El camarero Claro que no. Es fresca, del Cantábrico.

El señor Bueno. Yo prefiero carne. Un filete de ternera con patatas fritas.

El camarero ¿Para beber?

El señor Tráiganos un Rioja tinto, una botella de la casa, y media botella de agua mineral sin gas, por favor.

El camarero Muy bien, dos gazpachos, una merluza, una ternera, una botella de tinto y media sin gas …

El señor Voy a pedir otro cuchillo. Este no sirve. No corta.
La señora Pues sí, pide otro. La merluza está estupenda.
El señor La ternera está buenísima, aunque quizás esté un poco sosa. Acércame el salero.
La señora Mejor sosa que demasiado salada. Toma.

El camarero Y de postre, ¿qué toman?
La señora No, gracias, postre no. Tráigame sólo un cortado.
El señor Para mí un café solo. Y denos la cuenta, por favor. Tenemos prisa. Es que vamos al cine.

El señor está mirando la cuenta.

El señor Oiga … perdone, pero me parece que se han equivocado.
El camarero A ver …
El señor Mire, aquí pone «licores» … debe de ser un error.
El camarero Tiene usted razón. De verdad, lo siento muchísimo.
El señor No tiene importancia. Todos podemos equivocarnos.

Actividad

A76 E Escuche y conteste a las preguntas del libro de actividades.

27 El regalo de Navidad

Ramón Sotelo es el médico de cabecera de un comerciante que se llama Carlos Pereda. Una Navidad, Pereda le regaló al médico una espléndida cesta con dos botellas de champán, un jamón serrano auténtico, cinco barras de turrón, una caja de puros y una botella de whisky escocés.

El médico llega a casa con la cesta.

El doctor Sotelo Mira, es un regalo del señor Pereda.
La Sra de Sotelo Tenemos ya demasiadas cestas. Se la podemos enviar a los Ibáñez. Ellos nos han hecho muchos favores.
Él Bueno, pero podemos sacar antes la botella de whisky.

La hija de los Ibáñez entra en el comedor con la cesta.

El Sr Ibáñez ¿Qué es esto? ¿Una cesta de Navidad?
La hija Es un regalo para ti y para mamá. Os la envía Sotelo.
El Sr Ibáñez Estupendo. Yo tengo que hacer un regalo al farmacéutico. Se la regalamos a él y así nos ahorramos comprar una nosotros.
La Sra de Ibáñez Bueno, pero podemos sacar antes las botellas de champán.

Los Ibáñez se quedan con las botellas de champán y envían la cesta al farmacéutico. Al farmacéutico le gustan mucho los puros y los que hay en la cesta son habanos de la mejor calidad. Saca los puros y luego envía la cesta con el jamón, el turrón y una tarjeta muy bonita … ¡al doctor Sotelo!

La señora de Sotelo recibe la cesta.

La Sra de Sotelo Mira, Ramón, han traído otra cesta.
El doctor Sotelo ¿Qué trae? A ver …

Ella Un jamón serrano y cinco barras de turrón.

Él Pero … si esta es la cesta que yo le envié al señor Ibáñez. ¿De dónde la habrá sacado el farmacéutico? Mira, el sinvergüenza se ha quedado con el champán, los puros …

Actividades

C Conteste a las preguntas.

1 ¿Qué profesión tiene Ramón Sotelo?
2 ¿Qué pasó una Navidad?
3 ¿Qué había en la cesta?
4 ¿Por qué no la quieren?
5 ¿A quién se la envían y qué hacen antes de enviársela?
6 ¿Qué hacen los Ibáñez antes de enviar la cesta al farmacéutico?
7 ¿Qué saca el farmacéutico?
8 ¿A quién envía él la cesta?
9 ¿De qué se da cuenta entonces el doctor Sotelo?
10 ¿Qué piensa usted de las personas?
11 Esta historia, ¿sucede en una ciudad o en un pueblo no muy grande?
12 ¿Qué profesiones se mencionan en el texto?

D Para Navidad, le regala una cesta a su mejor amigo. ¿Qué hay en la cesta?

28 Argentina

Datos sobre Argentina

Nombre oficial:	República Argentina
Superficie:	2.778.000 kilómetros cuadrados
Población:	36.956.000 habitantes
Capital:	Buenos Aires, 12.000.000 habitantes
Lengua:	español (más algunas lenguas indígenas)
Exportaciones:	cereales, carne, lana, pieles y cueros, vinos
Importaciones:	maquinaria y vehículos, hierro y acero, papel, productos químicos
Moneda:	el peso argentino

Fábrica de coches Auto Leftina, Buenos Aires

Buenos Aires: la Casa Rosada en la plaza de Mayo

Argentina es el país de lengua española más extenso. Tiene una superficie algo mayor que México y España juntos. Sin embargo, es un país de poca población. Antes de la llegada de los españoles, vivían en estas tierras varias tribus indígenas, pero estuvieron siempre muy poco pobladas.

Buenos Aires

La ciudad de Buenos Aires está situada en la desembocadura del río de la Plata, uno de los ríos más largos del mundo. Fue fundada hacia el 1586 por el criollo Juan de Garay quien construyó una fortaleza en una plaza mirando al río. Es la «Plaza de Mayo» y, aunque se han construido nuevos edificios, la plaza mantiene su estructura original y sigue siendo el corazón de la ciudad.

Hay cuarenta y seis barrios en Buenos Aires y cada uno tiene su identidad y su equipo de fútbol.

Carne y trigo

Argentina es un importante país agrícola y ganadero. Aquí se encuentran tierras de gran fertilidad, como las famosas Pampas.

Es uno de los primeros productores del mundo de carne y trigo, y tiene otros muchos cultivos. Produce vinos excelentes y cuenta además con petróleo, carbón, hierro y otros minerales.

El gaucho

Ya desde el siglo XVI, el gaucho vivía de las reses sin dueño que había en las extensas y fértiles llanuras de la pampa. Vestido con botas, poncho y sombrero, montaba a caballo mejor que nadie y era experto en el manejo del lazo y las boleadoras.

Gauchos: carrera de caballos en una estancia

Desarrollo económico e historia contemporánea

A partir de finales del siglo XIX, Argentina exportó a Europa grandes cantidades de lana, carne y cereales. Como había mucho trabajo, miles de europeos —españoles e italianos sobre todo— emigraron allá. Entre 1850 y 1930 llegaron unos cinco millones de personas. Hubo entonces un gran desarrollo económico y el país conoció una época de esplendor.

La crisis económica de la década de 1930 fue desastrosa para Argentina, que vivió a partir de entonces varias dictaduras militares.

Los años de 1940 a 1955 estuvieron dominados por la figura de Juan Domingo Perón y su carismática esposa Eva Duarte («Evita»). Durante su mandato, Argentina conoció nuevamente unos años de prosperidad. Pero la economía empeoró luego rápidamente y en 1955 un golpe militar acabó con el régimen de Perón.

La situación económica y social continuó empeorando durante los años 60. Siguieron varios gobiernos que no supieron solucionar los problemas del país: dependencia tecnológica exterior, una inflación que a veces pasaba del 500 %, paro, huelgas. En todo el país aumentó la violencia, y la represión obligó a cientos de miles de argentinos a exiliarse.

En 1983 se celebraron elecciones democráticas y los militares dejaron el poder a los civiles. Argentina es hoy un país democrático consolidado.

La cuna del tango

Tango en una calle de Buenos Aires

El tango nació en los barrios de las afueras de Buenos Aires, entre los emigrantes. Este baile erótico y melancólico se ha convertido con el tiempo en un símbolo de Argentina. El cantante y compositor de tangos más famoso de todos los tiempos es sin duda Carlos Gardel. Nació en Francia en 1890 y, cuando tenía dos años, emigró con su madre a Argentina. A los 18 años se ganaba la vida cantando tangos por los cafés de Buenos Aires. A los 25 ya era famoso en todo el mundo. Murió en 1935 en un trágico accidente de aviación, pero entonces ya era una leyenda.

Una de sus canciones más famosas es «Mi Buenos Aires querido».

El mate es una especie de té que se toma en Argentina, Paraguay y Uruguay.

Actividad

A81 **E** Escuche la canción y rellene el texto en el libro de actividades.

29 No seas un mal turista

El Hierro es la isla más occidental de las Canarias.

- Por favor, no nos dejéis basuras ni otros recuerdos.

- No tires colillas ni hagas fuego, salvo en los sitios que hemos preparado para ello.

- Si haciendo senderismo por la isla te encuentras alguna cancela de ganado, pas si quieres, pero por favor ciérrala tras de

● No cojas frutas sin decírselo a su dueño: le privarías del placer de regalártelas personalmente.

● Respeta la veda y, en época de caza, no dispares indiscriminadamente a todo lo que se mueva.

● Recoge todas las setas que quieras: casi todas son comestibles, ¡pero cuidado, las que no lo son no perdonan!

● Para que podamos seguir ofreciéndote nuestro pescadito fresco, por favor cumple las normas sobre pesca submarina, tanto de especies como de tamaños permitidos.

● Ayúdanos a preservar las especies protegidas, tanto de nuestra fauna como de nuestra flora.

● Gracias por respetar nuestras costumbres llevando un atuendo decoroso, tanto en los lugares públicos como en festejos religiosos.

30 Una vida más ordenada

Hace un siglo se generalizó el uso de la electricidad en los hogares de nuestros bisabuelos y tatarabuelos. Hoy día estamos rodeados de aparatos eléctricos y electrónicos que hemos hecho indispensables en nuestra vida.

Por la mañana nos despierta la radio despertador y para entonces, si hay calefacción, ya lleva funcionando un rato. Pasamos al cuarto de baño donde es muy posible que tengamos máquina de afeitar, secador de pelo, cepillo de dientes eléctrico …

En la mayoría de las cocinas hay electrodomésticos por todas partes: lavadora, lavavajillas, horno, batidora, microondas, tostadora, plancha y, por favor, no olvidemos el frigorífico. Suena el teléfono. No, no es el móvil, es el fijo, pero … ¿dónde lo puse? Ah, aquí está con los mandos a distancia de la televisión y el equipo de música.

Y de los ordenadores, ¿qué podemos decir de sus usos? Con ellos encontramos cualquier tipo de información y se pueden usar prácticamente para todo: desde para hacer amistades hasta para resolver ecuaciones que se suponían insolubles. Pero esto no es todo, ya que la tecnología viene avanzando de tal forma que, cuando estéis leyendo este texto, tal vez resulte ya anticuado.

A pesar de todo, hay muchas personas para quienes el papel y el lápiz siguen siendo unos inventos geniales … y ¡nunca fallan!

Actividad

A Conteste a las preguntas.

1 ¿Qué aparatos se mencionan en el texto? Escriba una lista.
2 ¿Cuáles considera los tres más necesarios y los tres menos necesarios?
3 Considere la segunda frase del texto. ¿Los hemos hecho **nosotros** indispensables o **son** indispensables?

31 No es nada grave

Actividad

A88 **A** Antes de leer el diálogo, escúchelo y conteste a las preguntas del libro de actividades.

En la consulta

El paciente Buenos días, doctor.

El médico Buenos días. ¡Cuánto tiempo sin verle! Siéntese, por favor. ¿Qué le pasa?

El paciente Pues mire, no me encuentro bien. Me duele mucho el estómago y la garganta.

El médico A ver … abra la boca … no la cierre, por favor, ábrala un poco más … así … no creo que tenga fiebre.

El paciente ¿Qué piensa usted?

El médico Nada. No es nada grave. Debe de ser el calor. Coma alimentos ligeros: arroz hervido, pescado … No tome bebidas muy frías.

El paciente Es que además no duermo bien.

El médico No se preocupe. ¿Se acuesta tarde?

El paciente Sobre la una, pero me despierto durante la noche.

El médico ¿Toma mucho café?

El paciente Bueno, mucho … Uno para desayunar, después del almuerzo, y un cortado a eso de las once, después de cenar.

El médico Pues mire. Cene más temprano algo ligero, nada de cafés por la noche, y acuéstese también más temprano. Vaya a la farmacia con esta receta. Tome una pastilla antes de acostarse y vuelva el próximo martes si no se encuentra mejor.

En la farmacia

El farmacéutico Tenga sus pastillas. Tome dos pastillas por la noche, antes de acostarse.

El cliente El médico me dijo que tomara una.

El farmacéutico Pues en la receta pone dos. Pregúntele otra vez, por si acaso. ¿No le mandó nada más?

El cliente Bueno … me aconsejó que comiera alimentos ligeros, que no tomara bebidas frías, que tomara menos café …

En España no es difícil encontrar una farmacia.

Actividad

A89 **E** Escuche y conteste a las preguntas del libro de actividades.

32 Si fuera un Picasso...

En una esquina del Rastro de Madrid.

Un vendedor ¡Este sensacional cuadro surrealista por sólo sesenta y siete euros! ¡Aprovechen la ocasión! Si estuviéramos en París, pagarían ustedes el doble.

Un señor ¿Cuánto? Y si hablara usted un poco más despacio, entenderíamos lo que dice. ¿Cuánto dice que pide?

El vendedor He dicho setenta y siete, señor. Pero a usted se lo dejo por setenta ... ya veo que entiende usted de arte.

El señor Demasiado caro.

El vendedor Si fuera un Picasso auténtico costaría un millón, señor.

El señor ¡Hombre, qué gracioso! Si fuera un Picasso no lo vendería usted aquí en el Rastro, y si yo fuera rico no compraría una copia.

El vendedor Oiga, no se lo creerá, pero aquí se ha vendido hasta un Velázquez.

El señor Sí, supongo que serán Las Meninas. Vamos, tenga usted cincuenta y deme el cuadro.

El vendedor Trato hecho.

Todos los sábados y domingos las calles alrededor de la plaza del Rastro y la Ribera de Curtidores se convierten en un gigantesco mercado, donde se vende toda clase de objetos nuevos y usados.

Actividad

A ¿Qué sabe usted del Rastro? ¿Hay algo parecido en su región?

33 Dramas callejeros

Una señora Por favor, no me ponga la multa. Si acababa de aparcar.
Un guardia Lo siento, tengo que ponérsela.
La señora Por favor, no me la ponga.

El guardia le pone la multa.

El guardia ¿Otra vez mal aparcado, Roberto?
Roberto Por favor, no me pongas la multa, José.
El guardia Lo siento. Como a todo el mundo. Tengo que ponértela.
Roberto Hombre … que somos amigos … no me la pongas.

El guardia se la pone.

34 ¡Vaya moto!

Josefa ¡Mira! ¡Qué moto! ¡Y qué motorista!

Juan Luis Mujer, ¿qué dices? A tus años … Mira cómo se salta los semáforos. Va como si la calle fuera suya.

Josefa ¡Cuidado, Juan Luis! ¡Por la derecha! ¡Ese taxi!

¡Pum! El coche choca contra el taxi. Por suerte no pasa nada grave. Los conductores salen de sus vehículos.

Juan Luis Es usted un imbécil. ¿No sabe conducir?

El taxista El que no sabe conducir será usted. ¿Es que no conoce el Código? Yo venía por la derecha, ¿no?

Los conductores empiezan a discutir. Se presenta un guardia.

Juan Luis Si ese hombre no hubiera ido tan rápido, no habría pasado nada.

El taxista ¿Rápido? Es que yo venía por la derecha.

Juan Luis Y si hubiera frenado, yo habría tenido tiempo de pasar.

Josefa Vamos, Juan Luis, reconócelo, que si tú no hubieses estado mirando la moto no habría ocurrido nada.

Juan Luis ¿Yo la moto? ¿Qué puñetas me importan a mí las motos? Si tú no me hubieras distraído con la dichosa moto …

Josefa Vamos, ahora resulta que la culpa la tengo yo.

El guardia Bueno, bueno, eso es asunto de ustedes. Su permiso de conducir, por favor.

Juan Luis Pues no lo llevo, mire. Lo he olvidado.

El guardia Vaya. ¿Y … no tiene otro documento de identidad?

Juan Luis No, lo siento.

El guardia Pero, algún documento tiene usted que llevar. Bueno, vamos a ver. ¿Cómo se llama usted?

Juan Luis Alonso Rubio.

El guardia ¿Alonso Rubio? ¿No le he puesto yo ya a usted una multa antes?

Juan Luis ¿A mí? ¿Una multa a mí?

Lecturas

Índice

Sobre las lecturas

Estas lecturas son independientes unas de otras. El orden en que aparecen, aunque la primera «De Iberia a América» es la más fácil, no es en cuanto a su dificultad, sino en cuanto a los temas. Hemos hecho un breve recorrido de España a la América Hispana, pasando por las Islas Canarias.

Dos consejos:

- Tenga siempre a mano un diccionario.
- Una vez terminadas las actividades, haga una pequeña lista con las palabras y expresiones que quiera memorizar.

Y un deseo:

- Que las lea con gusto y aprenda algo.

Lectura 1 De Iberia a América

El Bisonte de Altamira

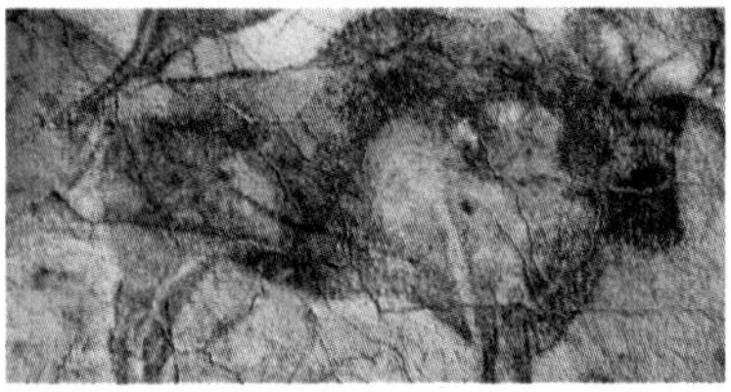

La península Ibérica está poblada desde hace muchos miles de años. Uno de los ejemplos más conocidos de la cultura de la Edad de Piedra son las pinturas de las cuevas de Altamira, en Cantabria.

La Dama de ★Elche

El nombre de la península Ibérica hace referencia a los iberos. Este pueblo vivía en la península ya mil años antes de Jesucristo. La escultura conocida como «La Dama de Elche» es una prueba de su talento artístico.

El teatro de ★Mérida

Durante la Edad Antigua, *Hispania* (España) fue una provincia del Imperio Romano. Por eso, en la península se hablaba latín. El teatro de Mérida, para seis mil espectadores, es uno de los muchos monumentos romanos que se conservan en España. A principios del siglo V se establecieron en la península Ibérica varios pueblos germánicos o ★«bárbaros».

La Alhambra

En la Edad Media (aproximadamente desde el año 700 hasta el año 1500) vivieron en España musulmanes y cristianos, divididos en pequeños reinos independientes. La cultura árabe influyó mucho en los españoles, sobre todo en Andalucía. Aquí se encuentra, entre otros, el palacio de la Alhambra, «palacio rojo» en árabe (Granada).

El Cid

A principios de la Edad Media, la mayoría de los cristianos vivían concentrados en el norte del país. Durante siglos lucharon contra los musulmanes y poco a poco fueron ocupando toda la península. ★«El Cid» (del árabe *as-sid*, señor) fue un héroe legendario medieval.

Los Reyes Católicos

A finales del siglo XV los Reyes Católicos, Fernando e Isabel, lograron imponer el cristianismo y formaron un poderoso Estado con la unión de los reinos de Granada, Castilla, Aragón y Navarra.

Cristóbal Colón

Por estas fechas, y financiado por los Reyes Católicos, Cristóbal Colón partió hacia la India y llegó, pero no a la India como él creía. Desembarcó en un nuevo continente: América. La lengua que Roma había llevado a España hacía más de quince siglos pasó entonces al Nuevo Mundo.

El nombre de América

Américo Vespucci (Florencia 1454–Sevilla 1512) realizó varios viajes al Nuevo Mundo y sus contemporáneos creyeron que él era el descubridor de América. Parece que Vespucci fue el primero en darse cuenta de que las tierras descubiertas por Colón formaban parte de un continente nuevo. El nombre de «América» aparece por primera vez en un mapa publicado en 1507.

Actividades

A Relacione las frases (1–8) con los nombres (a–h).

a	los musulmanes	**e**	Altamira
b	Hispania	**f**	El Cid
c	los germanos	**g**	los Reyes Católicos
d	Américo Vespucci	**h**	la Dama de Elche

1 una escultura ibérica
2 el antiguo nombre de España
3 un navegante italiano
4 un pueblo que llegó a España a principios del siglo VIII
5 un pueblo que habitó en la península Ibérica en el siglo V
6 cuevas donde hay bisontes pintados
7 un héroe de la edad media
8 Financiaron el primer viaje de Colón a «Las Indias».

B En parejas, en grupos o por escrito: ¿En cuál de estos personajes le gustaría reencarnarse? ¿Por qué?

★ Vocabulario

Elche: ciudad de la provincia de Alicante donde encontraron esta escultura
Mérida: ciudad de Extremadura, en el suroeste de España
bárbaro: palabra de origen griego que significa «extranjero»
El Cid: Rodrigo Díaz de Vivar, héroe de la primera obra épica conocida de la literatura española (hacia 1114)

Lectura 2

El ingenioso Hidalgo don Quijote de la Mancha

El autor

Miguel de Cervantes nace en Alcalá de Henares en 1547 —probablemente el 29 de septiembre, día de San Miguel— y muere el 23 de abril de 1616.

La obra, el argumento y los personajes

El Quijote es la obra cumbre de la literatura española. Cervantes la escribió para ridiculizar las novelas de caballería, propósito que consiguió. Desde su publicación, ya no volvieron a escribirse. Es importante tanto por el valor simbólico de los personajes —don Quijote encarna el idealismo y Sancho Panza la realidad— como en su profunda humanidad. Su influencia en la literatura ha sido enorme, ya que se considera a Cervantes el creador de la moderna narrativa europea.

El argumento es el siguiente: Un ★hidalgo manchego bueno y un poco pobre, pierde la cabeza leyendo novelas de caballería. Decidido a imitar a los héroes de estas, que recorren el mundo defendiendo ★nobles ideales y realizando hazañas fabulosas, busca unas armas viejas y un caballo flaco —Rocinante—, toma como ★escudero a un ★rudo labrador llamado Sancho Panza, y sale en busca de aventuras. Enamorado de una campesina, la transforma en la dama ideal, dándole el nombre de Dulcinea del Toboso.

En la obra, don Quijote y Sancho intervienen en numerosos episodios y casi siempre ★salen mal parados. Por ejemplo, ponen en libertad a unos bandidos que, en vez de agradecérselo, los ★apedrean y los roban. Al final de la obra, llegan a Barcelona, donde don Quijote es vencido por el caballero de la Blanca Luna, un amigo suyo que se ha disfrazado así, y quien le obliga a regresar a su pueblo. Allí muere curado ya de su locura.

Don Quijote no consigue realizar ninguno de sus nobles ideales: la verdad, la justicia y el amor, porque chocan con un mundo que lo considera loco y en el que estos no son posibles.

La aventura de don Quijote y los molinos de viento

En esto, descubrieron treinta o cuarenta molinos de viento que hay en aquel campo, y don Quijote dijo a su escudero:
—Ves allí, amigo Sancho Panza, donde se descubren treinta, o pocos más, ★desaforados gigantes, con los que pienso hacer batalla y quitarles a todos las vidas.
—¿Qué gigantes? —dijo Sancho Panza.
—Aquellos que allí ves —respondió su amo— de los brazos largos.
—Mire vuestra merced —respondió Sancho— que aquellos no son gigantes, sino molinos de viento y lo que ellos parecen brazos son aspas.
—Bien parece —respondió don Quijote— que no estás ★cursado en esto de las aventuras; ellos son gigantes.
Y diciendo esto, dio de espuelas a su caballo Rocinante, y encomendándose de todo corazón a su señora Dulcinea, ★embistió con el primer molino que estaba delante …

(del capítulo 8)

Actividades

A Conteste o complete según el texto:

1 ¿Por qué dieron a Cervantes el nombre de Miguel?
2 Cervantes muere a la edad de …
3 Sus protagonistas simbolizan …
4 Busque tres palabras del texto para describir a don Quijote, y tres para describir a Sancho Panza.
5 ¿Dónde y cómo muere don Quijote?
6 Según el texto no son posibles …
7 «Y diciendo esto, …» ¿A qué se refiere «esto»?
8 El 23 de abril se celebra en España «El día del libro». ¿Por qué cree que es en ese día?

B Lea el párrafo «Don Quijote … no son posibles.»
En parejas, en grupos o por escrito (unas 100 palabras): Discuta estos puntos.
¿Ha cambiado el mundo desde los tiempos de don Quijote?
¿Ha tenido usted alguna mala experiencia en la que haya salido mal parado/a?

★ Vocabulario

hidalgo: clase social inferior a la nobleza
nobles ≈ honestos
escudero: ayudante del señor
rudo: de escasa cultura
salir mal parado ≈ tener una mala experiencia
apedrear: tirar piedras a alguien
desaforados: hombres sin ley, violentos
no estar cursado en ≈ no saber
embestir con ≈ atacar

Lectura 3 Del cigarro ...

El cultivo del tabaco en Cuba

Colón y los exploradores que lo siguieron a Cuba, México, América Central y Brasil encontraron que los indios de esas regiones fumaban unos liotes de hojas de tabaco envueltas en una hoja seca de palma o de maíz. A ese objeto lo llamaron cigarro. En un vaso de cerámica del siglo XII encontrado en Guatemala aparece un maya fumando un pequeño rollo de tabaco.

Sevilla: antigua fábrica de tabacos, hoy Universidad

Ya se habían fumado puros durante dos siglos en España, antes de que la costumbre llegase a otros países europeos. Esto se consideraba un símbolo de riqueza.

Sin embargo, los españoles fueron los inventores de ese cilindro que ha invadido el mundo. Para ser más exactos, fueron los mendigos sevillanos quienes durante el siglo XVI comenzaron a aprovechar los deshechos de las hojas de tabaco que llegaban de América. Trituraban los desperdicios de las mercancías y los liaban en finas hojas de papel de arroz.

... al cigarrillo

En 1825 se producen los primeros cigarrillos manufacturados y empaquetados. Trece años más tarde aparece la primera cajetilla. Se llamaba «Cigarrillos Superiores» y contenía 25 unidades. Es entonces cuando se empieza a utilizar la palabra cigarrillo o cigarrito, que deriva del cigarro.

Hay dos teorías sobre el origen de la palabra «cigarro»:

- Se llama cigarro por su similitud con la forma y color de una cigarra.
- La palabra cigarro es una adaptación de *sik'ar*, que en maya significa «fumar».

El nombre de «cigarro puro» debió de originarse como una necesidad de distinguir lo que era tabaco «puro» de lo que eran «desperdicios» del tabaco. La hoja de tabaco que envuelve el puro es de la mejor calidad y debe ser: fuerte, sedosa en textura, de color homogéneo, de sabor agradable y que se queme con facilidad. *Cigare, cigar, sigaro, zigarre, puro*, ... pero no podemos dejar atrás otro nombre: *habano*.

Tenemos que terminar esta lectura con una advertencia: «El tabaco DAÑA la salud».

Actividades

A Busque en el texto palabras de igual o parecido significado.

1	se ve	**5**	quiere decir
2	200 años	**6**	proceder
3	hábito	**7**	parecido
4	usar	**8**	olvidar

B Conteste a estas preguntas.

1 ¿Cuál es el documento más antiguo que tenemos sobre la costumbre de fumar?

2 ¿Quiénes fueron los inventores del cigarrillo?

3 Desde su invención, ¿cuánto tardó en comercializarse el cigarrillo?

4 De las dos teorías sobre el origen de la palaba «cigarro», ¿cuál le gusta más y por qué?

C En parejas, en grupos o por escrito: Discuta estos puntos.
¿Es el fumar hoy un símbolo de riqueza?
¿Con qué grupos sociales se puede asociar esta práctica?
¿Varía el concepto de fumar de país a país?

Lectura 4 La isla Graciosa

Era sobre 1980 y yo había decidido pasar mis vacaciones en un lugar apartado de la civilización. Me decidí por un puntito del archipiélago canario, al norte de Lanzarote: la isla Graciosa. Unos 800 habitantes, un par de volcanes apagados, lava, arena y medio millar de cabras. «¡Ni coches ni televisores!» —pensé entusiasmado.

Pocos días más tarde me encontraba allí sentado en una silla, fuera del bar, en una plazuela de Caleta del Sebo, pequeño pueblo de la isla. Un grupo de ancianos estaba a mi lado leyendo *La Provincia*, el único ejemplar del único periódico que llegaba a la isla cada día.

—¡Qué maravilla! —exclamé dirigiéndome a ellos— ¡Qué tranquilidad!
—De eso sí que no nos falta, señor —contestó uno de ellos.
—Y buena salud tampoco, ¿eh? —les dije—, que he leído que aquí la gente vive muchos años.
—Pues es verdad. No creo que ninguno de los que estamos aquí tenga menos de ochenta años —dijo el hombre.
—Quizás sea porque no tenemos ni médico ni cura —dijo otro, y todos se echaron a reír.

Un pastor con un rebaño de cabras subía una colina a lo lejos.

—Es raro que haya tantas cabras aquí, en un lugar tan árido —dije. ¿Hay muchos pastores?
—No —me contestó el más viejo—. Aquel que se ve allí es el único y se jubilará dentro de medio año. Durante mucho tiempo aquí fuimos todos pastores. Pero las cabras acabaron con la vegetación. Mi padre, que llegó hace un siglo, fue uno de los primeros habitantes de la isla. Entonces esto era un vergel. Ahora, en cambio, casi todos vivimos de la pesca.
—¿Y sacan ustedes mucho? —le pregunté.
—Sí, el pescado abunda aquí, y no creo que haya otro mejor.

Yo estaba encantado. El cielo azul, la brisa del mar, el canto de los pájaros ... aquella cultura sin influencias exteriores ...

En el campanario de la iglesia sonaron lentamente las seis campanadas. Entonces todos los viejos se levantaron y comenzaron a marcharse a toda prisa.

—¡Las seis ya! —dijeron— ¡Vamos!

—¿Qué pasa? —pregunté— ¿Adónde van? ¿Hay una fiesta?

—¡No, nada de eso, qué va! —me contestó uno sin detenerse—. Nos vamos a casa a ver la telenovela. Nadie quiere perdérsela, y como la tele del bar no es de color …

La isla Graciosa vista desde Lanzarote

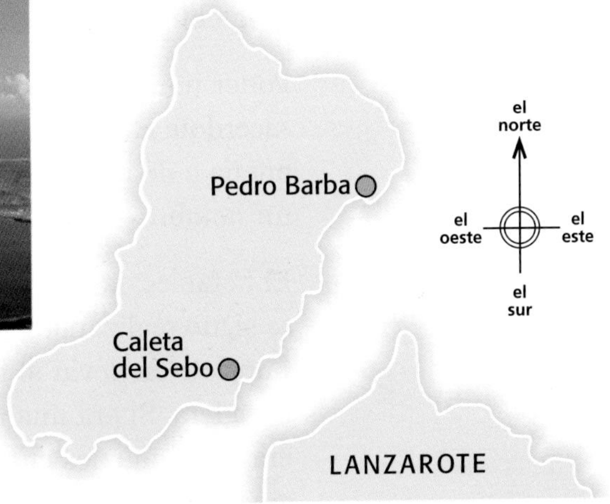

Actividades

A Busque en el texto palabras de igual o parecido significado.

1. lejos y aislado
2. grupo de islas
3. quinientos
4. hombres de edad
5. respondió
6. empezaron a reír
7. se comieron todo
8. hay muchísimo pescado
9. alejarse
10. rápidamente

B Traduzca al español y conteste.

1. Where did the author find a secluded place for his holidays?
2. What is Caleta del Sebo?
3. What were the old people doing in the square?
4. Why does one of them think they live so long?
5. How many goatherds are there now?
6. How do most of the inhabitants of the island make a living?
7. When did all the old people leave the square and why?

C En parejas, en grupos o por escrito: Compare como piensa que era la isla en 1980 y como piensa que será hoy. ¿En qué habrá cambiado?

Lectura 5

El ciclo de la vida en la cultura maya

El nacimiento de un niño era el comienzo de una serie de ceremonias en la vida ★maya.

Después de bañar a la criatura, la madre le ★comprimía la cabeza con dos ★tablillas, una detrás y otra sobre la frente, que dejaba atadas durante varios días. De esta forma se producía la deformación del cráneo, símbolo de belleza para los mayas. El ser ★bizco también era una marca de distinción. Al recién nacido se le ★colgaban unas cuentas del cabello de la frente para obligarlo a mirarlas y provocar el ★estrabismo.

Poner nombre al recién nacido era la primera ceremonia. El sacerdote elegía el día porque para los mayas había días de buena o de mala suerte. Hacía el horóscopo del niño y le daba un nombre.

El hetzmec, la segunda ceremonia importante en la vida maya, se sigue realizando en algunas comunidades del Yucatán. Consiste en llevar al niño por primera vez ★a horcajadas sobre la cadera. Si era una niña cuando cumplía los tres meses y si era un niño a los cuatro meses. Cuando llegaba a los cuatro o cinco años, se le colgaba una pequeña cuenta de la coronilla: si era niño, blanca como símbolo de pureza, y si era niña, roja como símbolo de virginidad.

La ceremonia de la pubertad se celebraba en un periodo de ayuno y abstinencia sexual de los padres como forma de purificación. Después de algunos ritos, el sacerdote quitaba la cuenta de los niños y la madre la de las niñas.

Para el matrimonio estaba el casamentero. Era la persona a quien el padre del muchacho le daba el encargo de buscar a una mujer para su hijo, con preferencia del mismo pueblo y clase social. La nueva pareja se quedaba a vivir con los padres de ella, para quienes el marido trabajaba durante seis o siete años. Después se independizaban. La procreación era de gran importancia entre los mayas.

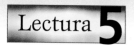

Cuando llegaba la muerte de un maya, sus familiares lo lloraban en silencio durante todo un día, y con gritos durante la noche. Después se envolvía el cuerpo y se le llenaba la boca de maíz molido o cuentas de jade y lo enterraban bajo el piso de su casa. La casa se convertía en lugar sagrado y la familia tenía que mudarse a otro lugar.

Representación de una boda maya, Mérida

★ Vocabulario

mayas: tribus indias famosas por su arquitectura y astronomía. Sus descendientes habitan hoy principalmente en el Yucatán y Guatemala.
comprimir ≈ poner presión en
tablilla ≈ trozo pequeño de madera
ser bizco ≈ **tener estrabismo** ≈ tener la mirada torcida
colgar cuentas ≈ suspender bolitas
a horcajadas ≈ con una pierna a cada lado
pubertad ≈ edad de 12 a 14 años

Actividades

A

1 Conteste o complete según el texto:

- **a** ¿Qué dos cosas eran estéticas para los mayas?
- **b** Para los mayas había días de …
- **c** ¿Quién elegía el nombre del recién nacido?
- **d** ¿Quién buscaba a la novia?

2 Busque ocho partes del cuerpo que se mencionan en el texto.
Ejemplo: 1 cabeza, 2 …

3 Busque antónimos (palabras de significado contrario).

a	delante	**d**	antes
b	desatar	**e**	poner
c	último	**f**	reír

B Ordene estas frases cronológicamente.
Ejemplo: 1 c

- **a** hacer el horóscopo
- **b** llevar a la criatura sobre la cadera
- **c** colgar cuentas sobre la frente
- **d** trabajar para los padres de la mujer
- **e** quitar la cuenta de la coronilla
- **f** llenar la boca con cuentas de jade

C En parejas, en grupos o por escrito (unas 100 palabras):
De las costumbres de los mayas que se mencionan en el texto, ¿cuál le parece más curiosa? ¿Le recuerda alguna la vida moderna?

D ¿Qué cosas pueden ser extremas en la moda actual?

Lectura 6 Patagonia, tierra del calafate y el guanaco

La Patagonia es una inhóspita y vasta extensión que ocupa el sur de Argentina. Está limitada por el río Colorado en el norte, el océano Atlántico en el este y la cordillera de los Andes en el oeste. Hasta finales del siglo XIX fue una tierra prácticamente desconocida.

Por su latitud, podría tener un clima similar al de Lisboa o Londres. Sin embargo no es así. Los vientos dominantes proceden del oeste y al tropezar con la barrera andina, pierden toda su humedad y descienden sin ella hacia la Patagonia, aumentando su sequedad. La altitud general de la tierra se eleva hasta 1000 metros desde el mar a las primeras laderas de los Andes. A esto hay que añadir que sus costas están bañadas por una corriente fría. La combinación de estas circunstancias hacen de la Patagonia una región fría y semidesértica.

Flora y fauna de Patagonia

Al caminar desde los Andes hacia el este, nos encontramos con una serie de rampas escalonadas. Estas rampas continúan bajo el mar, formando una extensa plataforma que llega hasta las conflictivas islas Malvinas.

Desde el punto de vista de la vegetación, la Patagonia puede definirse como una estepa de leñosas. A veces la vegetación se pega al suelo para defenderse de los fuertes vientos. Carece de árboles, las especies herbáceas viven cuando llueve y sólo son permanentes los arbustos dispersos. El calafate es un arbusto espinoso típico de esta región. Según una leyenda, sus frutos azucarados tienen el mágico poder de hacer retornar a este país a todo el que los prueba.

En cuanto a la fauna tenemos el ñandú, una gran ave corredora, y el guanaco, un animal de tierras áridas que vive en grupos familiares compuestos de un macho adulto y de cuatro a diez hembras. Estos grupos familiares se asocian a grupos de ñandús, pues estos detectan mejor los peligros. El guanaco es un cuadrúpedo que tiene el cuerpo de un perro mediano, un largo cuello vertical y patas largas que le permiten correr rápidamente. Para las poblaciones indígenas era el provedor de carne, cuero, lana y huesos.

No podemos olvidar la fauna que vive en estas costas: los pingüinos de la Antártida, los osos marinos, los elefantes marinos, la ballena de Tasmania, y es sólo en las costas patagónicas donde encontramos marsopas «de anteojos». Sí, la Patagonia nos ofrece un muestrario de especies raras único en el mundo.

Actividades

A Relacione las palabras 1–8 del texto con las palabras o expresiones de igual o parecido significado a–h. Póngalas en la forma adecuada.
Ejemplo: 1 vasta, b (grande) gran

1	vasta	**a**	de acuerdo con
2	tropezar	**b**	grande
3	desciende	**c**	no tener
4	carece	**d**	volver
5	según	**e**	comer
6	retornar	**f**	bajar
7	prueba	**g**	encontrarse
8	detectan	**h**	darse cuenta de

B En parejas, haga una lista de 6 adjetivos del texto que describan Patagonia. ¿Sabe el antónimo (palabra que significa lo contrario) de esos adjetivos?
Ejemplo: inhóspita – acogedor

C En parejas, en grupos o por escrito: ¿Conoce alguna región árida que le recuerde la Patagonia o que sea todo lo contrario? Puede usar las palabras de la actividad B.

D Si tiene tiempo, busque información sobre la Patagonia. ¿Qué actividades se pueden hacer allí? ¿Cuál puede ser la mejor época del año para ir? ¿Qué es lo que más le ha interesado de esta región?

Grammar

The following abbreviations are used in this section:

S = singular	P = plural
S1 = **yo** form	P1 = **nosotros** and **nosotras** forms
S2 = **tú** form	P2 = **vosotros** and **vosotras** forms
S3 = **él**, **ella** and **usted** forms	P3 = **ellos**, **ellas** and **ustedes** forms

With verbs, the dot (·) shows where the spoken stress falls.

Articles (Los artículos) 1–4

1 Definite and indefinite article

A

masculine	*feminine*
el bolso	**la** carta
los bolsos	**las** cartas
un bolso	**una** carta
unos bolsos	**unas** cartas

The form **lo** also functions as an article in front of adjectives forming nouns and pronouns: **lo bueno** *the good thing*, **lo ocurrido** *what happened*. Compare **lo que** *that which, what.*

B Voy **al** cine. — *I'm going to the cinema.*
Voy **del** cine **al** hotel. — *I'm going from the cinema to the hotel.*

- **a** + **el** are contracted to **al** and **de** + **el** to **del**.

2 Articles and names

A **El señor** Moreno Rubio es programador. — *Mr Moreno Rubio is a programmer.*
El doctor no está. — *The doctor is not in.*
Buenos días, **doctor**. — *Good morning, doctor.*
Su pasaporte, **señorita**. — *Your passport, Miss.*
Don Quijote tiene un caballo que se llama Rocinante. — *Quixote has a horse called Rocinante.*

- The definite article is used before titles when speaking *about* someone. No article is used when speaking *to* someone. The article is never used before **don** or **doña**.

B **España** limita con **Francia** y **Portugal**. — *Spain borders on France and Portugal.*
Madrid está en el centro del país. — *Madrid is in the centre of the country.*

- Names of countries and towns do not usually take the article, but some exceptions are **La Habana** (Havana), **La Haya** (The Hague) and **El Cairo** (Cairo).

C **(El) Ecuador** limita con **(el) Perú**. — *Ecuador borders on Peru.*

- Certain Latin American countries sometimes take the article, e.g. **(la) Argentina, (el) Uruguay, (el) Brasil.**

D **el Madrid** de los años cuarenta — *the Madrid of the forties*
la España democrática — *democratic Spain*

- If an adjective or adjectival phrase is added to the name, the article is always used.

E **los Pirineos, el Atlántico, el Ebro** — *the Pyrenees, the Atlantic, the Ebro*

- The article is used with names of mountains, seas and rivers.

3 Some special uses of the definite article

A With weekdays, except with the verb **ser**:
El viernes juego al ajedrez. — *I play chess on Friday.*
But: Hoy es *viernes*. — *Today is Friday.*

B With points of the compass:
Valencia está en **el este**. — *Valencia is in the east.*

C With nouns used in a general sense:
No me gustan **las gambas**. — *I don't like prawns.*

D With time by the clock:
Termino a **las seis**. — *I finish at six o'clock.*

E With dates:
Es **el doce de octubre**. — *It's the twelfth of October.*

F With the verb **jugar** and games:
Jugamos al tenis/al ajedrez. — *We play tennis/chess.*

G With the verb **tocar** and musical instruments:
Toco **la guitarra**. — *I play the guitar.*

H With the names of sports teams:
El Barcelona compró a Maradona. — *Barcelona bought Maradona.*

I With parts of the body after the verb **tener**:
Juanita **tiene los ojos** azules. — *Juanita has blue eyes.*

J With percentages (also indefinite article: **un** 15 %):
El 15 % de los habitantes son blancos. — *Fifteen per cent of the inhabitants are white.*

K With languages, but not with the verbs **hablar**, **estudiar** or **saber**:
El español sigue siendo una lengua muy hablada. — *Spanish is still a widely spoken language.*
But: Quiere que su hijo hable *español*. — *He wants his son to speak Spanish.*

4 *Otro, medio, gran* and *parte*

A Deme **otra hamburguesa**, por favor. — *Give me another hamburger, please.*

¿No hay **otro tren**? — *Isn't there another train?*

Paco llegó hace **media hora** y ya se ha bebido **medio litro** de vino. — *Paco arrived half an hour ago and has already drunk half a litre of wine.*

- The indefinite article is not used before **otro** or **medio**.

B **gran parte** de la población — *a large section of the population*

Las tierras formaban **parte** de un continente nuevo. — *The lands formed part of a new continent.*

- The indefinite article is often not used before **gran** or **parte**.

Nouns (Los sustantivos) 5–7

5 Singular and plural

A	*masculine*		*feminine*	
	un bolso	dos bolsos	una carta	dos cartas
	un autobús	dos autobuses	una ciudad	dos ciudades
	un coche	dos coches	una calle	dos calles

- Nouns ending in **-o** are usually masculine. Nouns ending in **-a** are usually feminine. Nouns ending in a consonant or **-e** may be either masculine or feminine.
- The plural ending is **-s** or, if the noun ends in a consonant, **-es**. Note the absence of a written accent in the plural (un **camión** – dos **camiones**, una **nación** – dos **naciones**).

B **una radio** *a radio*; **una mano** *a hand*; **una foto** *a photo*; **una moto** *a motor-cycle*; **un día** *a day*; **un clima** *a climate*; **un mapa** *a map*; **un programa** *a programme*; **un sistema** *a system*; **un telegrama** *a telegram*; **un tema** *a subject (of conversation or an essay)*

- Some nouns ending in **-o** are feminine and some ending in **-a** are masculine.

C **El agua** está fría. — *The water is cold.*

Tengo **mucha hambre**. — *I'm terribly hungry.*

- **Agua** and **hambre** are feminine. Nouns that begin with a stressed **a** (spelt **a-**, **ha-**) take the articles **el** and **un** in the singular although the adjective has to be in the feminine.

D **Los jueves** tengo clase de francés. — *I have a French lesson on Thursdays.*

Los Ibáñez están en casa. — *The Ibáñez family is at home.*

- Some nouns have no plural ending, e.g. those of more than one syllable that end in unstressed **-es** and surnames.

E	los hermanos	*the brothers and sisters (the brothers)*
	los padres	*the parents (the fathers)*
	los papás	*mum and dad (the dads)*
	los hijos	*the children, sons and daughters (the sons)*
	los abuelos	*the grandparents (the grandfathers)*
	los tíos	*the uncle and aunt (the uncles)*
	los señores	*Mr and Mrs (the gentlemen)*
	los novios	*fiancé and fiancée (the fiancés, newly-weds)*
	los reyes	*the king and queen (the kings)*

- The masculine plural sometimes has a special meaning.

F	las vacaciones	*the holidays*
	las gafas	*the spectacles (glasses)*
	los alrededores	*the surroundings*

- Certain nouns are normally used in the plural only.

6 Possession

A	la moto **de** Paco	*Paco's motor-cycle*
	la maleta **de la** señora	*the lady's suitcase*
	el coche **del** señor Moreno	*Mr Moreno's car*
	las vacaciones **de las** chicas	*the girls' holiday*
	el viaje **de los** chicos	*the boys' journey*

- Possession and ownership are expressed by the preposition **de** before nouns. The thing possessed or owned has the definite article.

B	el permiso **de** conducir	*the driving licence*
	un pueblecito **de** la costa	*a little town on the coast*
	el tren **de** Barcelona	*the Barcelona train/the train from Barcelona*
	una ventanilla **de** la estación	*a ticket office at the station*
	una foto **de** Maradona	*a photo of Maradona*

- The preposition **de** is often used in Spanish where English would have *on, in, from, at* or a compound noun.

7 Expressions of quantity

A	una **botella de** agua mineral	*a bottle of mineral water*
	medio **kilo de** pan	*half a kilo of bread*
	dos **millones de** habitantes	*two million inhabitants*
	miles de europeos	*thousands of Europeans*

- Nouns expressing quantities or measurements are followed by **de**.

B	Costa Rica tiene tres millones quinientos mil habitantes.	*Costa Rica has three million five hundred thousand* inhabitants.

- **Mil** is not a noun.

Adjectives (Los adjetivos) 8–10

8 Agreement of adjectives

A	*masculine*		*feminine*	
	un coche **negro**	dos coches **negros**	una maleta **negra**	dos maletas **negras**
	un bolso **grande**	dos bolsos **grandes**	una mesa **grande**	dos mesas **grandes**
	un libro **azul**	dos libros **azules**	una camisa **azul**	dos camisas **azules**

- Adjectives form the plural in the same way as nouns, with **-s** after vowels and **-es** after consonants. Masculine adjectives ending in **-o** take **-a** in the feminine.

B	*masculine*	*feminine*
	un chico **español**	una chica **española**
	un jersey **inglés**	una camisa **inglesa**

- Feminine adjectives of nationality take the singular ending **-a**. Exceptions are those ending in **-í (marroquí, israelí, saudí, iraní)**; **-ense (nicaragüense, costarricense)**; adjectives like **árabe** and those already ending in **-a** (**belga**, *Belgian*), all of which have the same ending for masculine and feminine.
- Plurals of adjectives of nationality are formed like those of other adjectives, but adjectives ending in **-í** take **-es** in the plural (**israelíes**).

9 Position of adjectives

A	Aquella **casa blanca** es de un **mexicano rico**.	*That white house belongs to a rich Mexican.*

- Adjectives are usually placed *after* the words they describe.

B	Sacó una **pequeña pistola**.	*He took out a small revolver.*
	Allí estaba el **joven atracador**.	*There was the little bank robber.*
	Se comió una **enorme hamburguesa**.	*He ate an enormous hamburger.*
	una **magnífica piedra**	*a magnificent stone*
	Argentina tenía **graves problemas**.	*Argentina had serious problems.*

- Certain adjectives are placed *before* their nouns.

C	una **buena** amiga	*a good friend*
	Hace **buen** tiempo.	*It's nice weather.*
	Hace muy **mal** tiempo.	*It's very bad weather.*

- **Bueno** and **malo** are often placed *before* their nouns. In the *masculine singular* they are then shortened to **buen** and **mal**.

D con **gran** sorpresa — *with great surprise*
aquel **gran** bloque de piedra — *that great block of stone*

- When **grande** is placed before its noun, it is shortened to **gran** in both the *masculine and feminine singular*.

E la **pobre** señora — *the poor (= unfortunate) woman*
Es una señora **pobre**. — *She is a poor (= not rich) woman.*

- A few adjectives have different meanings depending on whether they are placed before or after the noun.

10 Comparison of adjectives

A Busco algo **más barato**. — *I'm looking for something cheaper.*
El más viejo contestó. — *The oldest (man) answered.*
La montaña **más alta** de España. — *The highest mountain in Spain.*

- Regular comparatives are formed by placing **más** before the adjective. Regular superlatives have **el (la, lo, los, las) más** before the adjective. If the noun already has the definite article, no further article is added before **más** in the superlative.

B

adjective	*comparative*	*superlative*
bueno *kind, nice*	**más** bueno *kinder, nicer*	el **más** bueno *the kindest, nicest*
bueno *good*	**mejor** *better*	el/la **mejor** *the best*
malo *unkind, nasty*	**más** malo *more unkind, nastier*	el **más** malo *the unkindest, nastiest*
malo *bad*	**peor** *worse*	el/la **peor** *the worst*
pequeño *little, small*	**más** pequeño *smaller*	el **más** pequeño *the smallest*
pequeño *little, young*	**menor** *younger*	el/la **menor** *the youngest*
grande *big, large*	**más** grande *larger*	el **más** grande *the largest*
grande *big, old*	**mayor** *older*	el/la **mayor** *the eldest*

- The adjectives **bueno**, **malo**, **pequeño** and **grande** have both regular and irregular comparative forms with slightly different meanings.

C ❍ ¿Tú eres más alto que tu hermano? — *'Are you taller than your brother?'*
◆ Sí, pero él es **mayor** que yo. — *'Yes, but he's older than I am.'*

- **Mayor** and **menor** are mostly used when speaking of someone's age. N.B. **una persona mayor**, *an elderly person*.

D ¡Qué cosa **más** rara! — *What a peculiar thing!*
¡Qué cielo **tan** azul! — *What a blue sky!*

- Certain exclamations have **más** or **tan** before the adjective.

E El viaje fue **cada día** más difícil. — *The journey got more and more difficult each day.*

- **Cada día** and **cada vez** + comparative are used to show increasing degree.

F	Tenemos **muchísimas** ganas de volver a verte.	*We would very much like to see you again.*
	En 1910 estalló una **violentísima** revolución.	*In 1910 an extremely violent revolution broke out.*
	una merluza **buenísima**	*a really good hake*
	un terrateniente **riquísimo** (from **rico**)	*a very rich landowner*

- The ending **-ísimo/-ísima** can be added to the adjective to show a very high degree of something.

G Expressions of comparison and similarity

G	❍ Juan gana **más que** Roberto.	*'Juan earns more than Roberto.'*
	◆ Es verdad, pero Roberto trabaja **menos que** Juan.	*'That's true, but Roberto works less than Juan.'*
	Juan trabaja para **la misma** empresa que Roberto.	*Juan works for the same firm as Roberto.*
	María no es **tan** alta **como** Luis.	*María is not as tall as Luis.*
	Julia no trabaja **tanto como** Eva.	*Julia doesn't work as much (hard) as Eva.*
	Argentina no tiene **tanta** población **como** **M**éxico.	*Argentina hasn't got such a big population as Mexico.*
	En Buenos Aires no hay **tantos** habitantes **como** en México D.F.	*Buenos Aires hasn't got as many inhabitants as Mexico City.*
	Podré ayudarles **igual que** a ti.	*I'll be able to help them as I helped you.*
	Hablo **lo más** claro **posible**.	*I'm speaking as clearly as possible.*
	El chalé está a **menos de** cien metros de la playa.	*The chalet is less than a hundred metres from the beach.*
H	No necesito **más de** mil euros.	*I don't need more than (= at the most) a thousand euros.*
	No necesito **más que** mil euros.	*I only need a thousand euros.*

- **Más de** or **más que** may be used before numerals. In negative sentences **no … más** que means 'only'.

Adverbs (Los adverbios) 11–13

11 Formation of adverbs

A	La señora sonrió **amablemente**.	*The lady smiled in a friendly way*
	El piso estaba **completamente** vacío.	*The flat was completely empty.*

- Many adverbs are formed by adding **-mente** to the feminine form of the adjective.

B América dependió **política y culturalmente** de España.
America was politically and culturally dependent on Spain.

- If several adverbs formed from adjectives follow one another, **-mente** is added only to the last one. The preceding adverbs then take the feminine form of the adjective.

C Escuchan **con mucha atención**. *They listen very attentively.*

- Sometimes an English adverb is best translated by a preposition expression in Spanish.

12 Comparison of adverbs

bien *well*	**mejor** *better*	lo **mejor** *best*
mal *badly*	**peor** *worse*	lo **peor** *worst*
mucho *much, a lot*	**más** *more*	lo **más** *most*
poco *little*	**menos** *less*	lo **menos** *least*

❍ Hablas francés muy bien. ¿Tu hermano habla **mejor**?	*'You speak French very well. Does your brother speak better?'*
◆ No, él habla **peor** (que yo).	*'No, he speaks worse (than I do).'*

- The adverbs **bien, mal, mucho, poco** all have irregular comparative forms.

13 *Muy* and *mucho*

A	Estoy **muy** contento.	*I'm very happy.*
	Habla **muy** bien.	*(S)he speaks very well.*

- *Very* before the positive form of adjectives and adverbs = **muy** (invariable).

B	Estas flores son **mucho** más caras.	*These flowers are much more expensive.*
	Su madre habla francés **mucho** mejor.	*His/her mother speaks French much better.*

- *Much* before the comparative forms of adjectives and adverbs = **mucho** (invariable).

C	La película me gustó **mucho**.	*I liked the film very much.*
	Trabajo **mucho**.	*I work very hard.*
	Eva sale **mucho** por las tardes.	*Eva goes out a lot in the evenings.*

- *Very much*, etc. with a verb = **mucho** (invariable).

D	Hace **mucho** calor.	*It's very hot.*
	La señora tiene **mucha** sed.	*The lady is very thirsty.*
	El señor tiene **mucha** hambre.	*The gentleman is very hungry.*

- *Very* before an adjective in English is often **mucho** before a noun in Spanish. **Mucho** also changes according to the gender of the noun (**sed** and **hambre** are feminine).

E ❍ ¿Estás contenta, Eva? *'Are you happy, Eva?'*
◆ Sí, **mucho**. (Sí, muy contenta.) *'Yes, very. (Yes, very happy.)'*

- *Very* in a reply where the adjective is not repeated = **mucho**.

Numbers (Los numerales) 14–17

14 Cardinal numbers (Los cardinales)

0	cero	30	treinta
1	uno (un), una	31,32	treinta y un(o), treinta y dos
2	dos	40	cuarenta
3	tres	50	cincuenta
4	cuatro	60	sesenta
5	cinco	70	setenta
6	seis	80	ochenta
7	siete	90	noventa
8	ocho	100	cien (ciento)
9	nueve	101	ciento uno
10	diez	150	ciento cincuenta
11	once	200	doscientos (-as)
12	doce	300	trescientos (-as)
13	trece	400	cuatrocientos (-as)
14	catorce	500	quinientos (-as)
15	quince	600	seiscientos (-as)
16	dieciséis	700	setecientos (-as)
17	diecisiete	800	ochocientos (-as)
18	dieciocho	900	novecientos (-as)
19	diecinueve	1 000	mil
20	veinte	1 150	milciento cincuenta
21	veintiuno (veintiún)	2 000	dos mil
22	veintidós	100 000	cien mil
23	veintitrés	1 000 000	un millón
24	veinticuatro	2 000 000	dos millones
25	veinticinco	1 000 000 000	mil millones
26	veintiséis		

- **Uno** becomes **un** before masculine nouns, e.g. **veintiún discos**.
- **Unos, unas** shows an estimate or approximation, e.g. **unos cien gramos** *about a hundred grams*; **unas cincuenta personas** *about fifty people*; **una media hora** *about half an hour*.
- **Ciento** becomes **cien** before nouns and before **mil** and **millones**, e.g. **cien euros**; **cien mil euros**; **cien millones**. When standing alone, both **cien** and **ciento** are acceptable: **Tengo cien** or **Tengo ciento**.
- **Millón** is followed by **de** before nouns, e.g. **un millón de habitantes** a million inhabitants (see **7**).

15 The time (*La hora*)

¿A qué hora empiezas hoy?	*What time do you start today?*
Empiezo a las nueve.	*I start at nine o'clock.*
Luis empieza a las tres de la tarde.	*Luis starts at three in the afternoon.*
Termina a las diez de la noche.	*He finishes at ten o'clock at night.*
¿Qué hora es?	*What's the time? What time is it?*
Es la una.	*It's one o'clock.*
Son las dos.	*It's two o'clock.*
Son las tres y media.	*It's half past three.*
Son las cuatro menos cuarto.	*It's a quarter to four.*
Son las cinco y cuarto.	*It's a quarter past five.*
Son las seis y diez.	*It's ten past six.*
Son las siete menos diez.	*It's ten to seven.*
Son las siete en punto.	*It's exactly seven o'clock.*
Son las doce y pico.	*It's just gone twelve.*

16 Date and year (*La fecha y el año*)

A	¿Qué fecha es hoy?	*What's the date today?*
	Es el uno de mayo.	*It's the first of May.*
	Es el primero de mayo.	*It's the first of May.*
	Es el quince de enero de 2002.	*It's the fifteenth of January, 2002.*

- Cardinal numbers are used in dates in Spanish. Only with 1st can the ordinal number (**primero**) be used. Note the preposition **de** before the year.

B	¿A cuántos estamos?	*What's the date?*
	Estamos a dos de mayo.	*It's the second of May.*

- In this phrase with **estar**, there is no article before the numeral.

C	mil novecientos ochenta y cuatro	*nineteen eighty-four*
	en el siglo XVI (dieciséis)	*in the sixteenth century*
D	Madrid, 20 de septiembre de 1999	*Madrid, 20th September 1999*

Read aloud:
Madrid, veinte de septiembre de mil novecientos noventa y nueve

17 Ordinal numbers (Los ordinales)

A

1° primero, primer	4° cuarto	7° séptimo	10° décimo
2° segundo	5° quinto	8° octavo	
3° tercero, tercer	6° sexto	9° noveno	

B	Yo vivo en el **primer** piso y mi madre en el **tercero**.	*I live on the first floor and my mother lives on the third.*

Es el **tercer** viaje que hago y la **tercera** vez que voy a Valencia.	*This is the third trip I'm making and the third time I'm going to Valencia.*
Juan Carlos I (primero) es nieto de **Alfonso XIII (trece)**.	*Juan Carlos the First is the grandson of Alphonso the Thirteenth.*

- **Primero** and **tercero** are abbreviated to **primer** and **tercer** before singular masculine nouns.
- From 11 (the eleventh) onwards, normal cardinal numbers are used instead of ordinal numbers.

Pronouns (Los pronombres) 18–34

18 Personal pronouns (Los pronombres personales)

A	*Subject forms*	
S1	yo	*I*
2	tú	*you (informal)*
3	él/ella/usted	*he/she/you (formal)*
P1	nosotros/as	*we*
2	vosotros/as	*you (informal)*
3	ellos/ellas/ustedes	*they/you (formal)*

- The subject forms are not usually used when the verb ending shows which subject is concerned. If they are used, it is for clarity or emphasis.
- **Usted**, **ustedes** are used mostly out of politeness and are forms of address to people one does not address as **tú**. The verb is in the third person singular or plural. These polite forms are often abbreviated to **Ud., Uds., Vd., Vds**. when written.
- In some areas of Andalusia and in Latin American countries, **ustedes** is used to address several people whom one addresses as **tú** (replacing **vosotros, -as**). See **80**.

B	*Preposition forms*	
S1	para mí	*for me*
2	para ti	*for you (informal)*
3	para él/ella/usted	*for him/her/you (formal)*
P1	para nosotros/as	*for us*
2	para vosotros/as	*for you (informal)*
3	para ellos/ellas/ustedes	*for them/you (formal)*

- These forms are used after prepositions, e.g. **para**, **a**, **de**, **por**.
- After the preposition **con**, S1 and S2 have different forms: **conmigo** with me, **contigo** with you.
- After the preposition **entre** (*between*), the subject forms **yo**, **tú**, etc. are used: **Lo arreglamos entre ella y yo**.
  We shall arrange it between us, she and I.

- After the adverbs **salvo** (*except*), **menos** (*except*) and **excepto** (*apart from*), the subject forms **yo**, **tú**, etc. are used: **Todos trabajan salvo/excepto/menos yo**. *Everyone is working except me.*

19 Reflexive pronouns and reflexive verbs

A	**levantarse** *to get up, rise, stand up*	
S1	**me** levanto	*I get up*
2	**te** levantas	*you get up*
3	**se** levanta	*he/she/you get(s) up*
P1	**nos** levantamos	*we get up*
2	**os** levantáis	*you get up*
3	**se** levantan	*they/you get up*

- Spanish reflexive verbs do not always correspond to reflexive forms in English: **quedarse** *to stay*; **acordarse** *to remember*; **irse** *to go away, leave*; **dormirse** *to sleep, fall asleep.*

B **Se comió** una tortilla. — *(S)he ate an omelette.*
Se bajaron del vehículo. — *They stepped down from the vehicle.*
Preferí **venirme** a Europa. — *I preferred to come to Europe.*

- Reflexive pronouns are sometimes used with non-reflexive verbs to give more life to and involvement in theaction.

20 Position of reflexive pronouns

Reflexive pronouns are placed:

A with a reflexive verb: *before* the verb, *after* the negative:
Me levanto a las seis. — *I get up at six o'clock.*
Ahora no **me levanto**. — *I'm not getting up now.*

B with an infinitive: either *after* the infinitive and joined to it, or *before* the auxiliary verb:
¿Cuánto tiempo **va a quedarse (se va a quedar)** usted en España? — *How long are you going to stay in Spain?*

C with a compound tense: *before* the auxiliary verb:
Ya **se han despertado**, pero no **se han levantado**. — *They have already woken/are already awake but they have not got up.*

D with a present participle: either *after* this and joined to it, or *before* the auxiliary verb. Note that the joining up entails adding an accent:
❍ **¿Te estás lavando?** — *'Are you getting washed?'*
◆ No, estoy **peinándome**. — *'No, I'm doing my hair.'*
Estaba **comiéndose** una hamburguesa. — *He was eating a hamburger.*

E with an affirmative imperative: *after* this and joined to it. Note that the joining up may entail adding an accent:

¡**Date** prisa!	*Hurry up!*
¡**Quédate** en la aldea!	*Stay in the village!*
¡Cálmese!	*Calm down!*

F with a negative imperative: *after* the negative:

¡No se siente!	*Don't sit down!*
No te preocupes.	*Don't worry.*

21 Direct object pronouns (*Complementos directos*)

A

S1	me	*me*
2	te	*you (informal)*
3	lo, la	*him/her/it/you (formal)*
P1	nos	*us*
2	os	*you (informal)*
3	los, las	*them/you (formal)*

- For the third person masculine, singular and plural, the forms **le** and **les** are also used. These forms are used mostly in central and northern Spain. In Latin America, **lo** and **los** are used in the masculine and **la**, **las** in the feminine.

B

Lo (Le) espero **a usted** en el bar.	*I'll wait for you in the bar.*
Los (Les) espero a **ustedes** en el aeropuerto.	*I'll wait for you at the airport.*
¿**La** espero aquí?	*Shall I wait for you here?*

- The forms **lo(s)**, **le(s)** and **la(s)** are also used when addressing a person or people formally. In this case, **a usted**, **a ustedes** is often added.

22 Position of direct object pronouns

Direct object pronouns are placed:

A with inflected verbs: *before* the verb, *after* the negative:

❍ ¿Dónde está el libro? ¿**Lo ves** tú?	'*Where's the book? Can you see it?*'
◆ No, **no lo** veo.	'*No, I can't see it.*'

B with an infinitive: either *after* the infinitive and joined to it or *before* the auxiliary verb:

❍ ¿Dónde está el libro? ¿Quieres **traerlo**, por favor?	'*Where's the book? Would you fetch it, please?*'
◆ Lo siento, no **lo puedo traer** porque no sé dónde está.	'*I'm sorry, I can't fetch it because I don't know where it is.*'

C with a compound tense: *before* the auxiliary verb, *after* the negative:

Lo he perdido.	*I've lost it.*
No lo he podido encontrar.	*I haven't been able to find it.*

D with the present participle: either *after* this and joined to it or *before* the auxiliary verb. Note that the joining up entails adding an accent:

❍ **¿Lo estás buscando?**	*'Are you looking for it?'*
◆ **Sí, estoy buscándolo.**	*'Yes, I'm looking for it.'*

E with an affirmative imperative: *after* the imperative and joined to it. Note that the joining up may entail adding an accent:

¡**Ponlo** en la mesa!	*Put it on the table!*
¡**Búscalo** bien, Carlos!	*Look for it carefully, Carlos!*

F with a negative imperative: *after* the negative:

¡**No lo pierdas**!	*Don't lose it!*

23 Doubling of direct object

A **El mes de agosto lo** pasé en Estepona.	*I spent the month of August in Estepona.*
A Paco no **lo** he visto.	*I haven't seen Paco.*
❍ ¿Conoces a Paco?	*'Do you know Paco?'*
◆ Pues no, no **lo** conozco **a él**. **A** su madre, sí.	*No, I don't know him, but 'I do know his mother.'*

- If the object comes first in the sentence, it is repeated with the corresponding object pronoun. If the object is a stressed pronoun (**a él**), it is always repeated with the corresponding unstressed form.

B **Lo** sabe **todo**.	*(S)he knows everything.*
Quiero decir**lo todo**.	*I want to tell everything.*

- When **todo** is the object, **lo** is also included in the sentence.

24 Personal *a*

A He visto **a Paco**.	*I've seen Paco.*
A los incas los sometió Pizarro.	*Pizarro overcame the Incas.*

- The preposition **a** is put before a direct object when indicating a definite person. It is not used, however, after **tener**: **Tengo muchos amigos**. *I have many friends.*

B Quiero **a mi país**.	*I love my country.*
No hay que matar **a los pájaros**.	*One shouldn't (oughtn't to) kill birds.*

- If the direct object indicates a personified concept or an animal, it may be preceded by **a** if one wishes to express strong emotion.

25 Indirect object pronouns (*Complementos indirectos*)

S1	me	*(to) me*
2	te	*(to) you (informal)*
3	le	*(to) him/her/it/you (formal)*
P1	nos	*(to) us*
2	os	*(to) you (informal)*
3	les	*(to) them/you (formal)*

26 Position of indirect object pronouns

❍ ¿**Me das** mil euros? — *'Will you give me a thousand euros?'*

◆ Sí, pero **no puedo darte** más/**no te puedo dar** más. — *'Yes, but I can't give you any more.'*

- The indirect object pronouns are placed using the same rules as for direct object pronouns (see **22**).

27 Doubling of indirect object

A El empleado **le** entrega los billetes **al señor/a él**. — *The official hands the tickets to the gentleman/to him.*

El empleado **les** entrega los billetes **a las señoras/a ellas**. — *The official hands the tickets to the ladies/to them.*

- In the third person singular, **le** can indicate *him*, *her* or *you (formal)*. In the third person plural, **les** can indicate *them* or *you (formal)*. It is often evident from the context who is the person concerned, but if it is not, the meaning is clarified by putting **a** + noun or **a** + preposition form of pronoun (**18B**).

B **A mí me** gustaría hacer un viaje. — *I would like to go on a journey.*

- The preposition form may also be used to emphasize the person concerned. See also **28B**.

28 Gustar and doler with the indirect object

A Me gusta el café. — *I like coffee.*
Te duele la cabeza. — *You have a headache.*
Me gustan los gatos. — *I like cats.*
Nos duelen los pies. — *Our feet hurt.*

- **Gustar** and **doler** take the indirect object pronoun (see **25**).
- Nouns used with these verbs take the definite article.

B A mí me duele la cabeza. — *I have a headache.*
A él le ha gustado la película. — *He liked the film.*
A ellos les gustan los gatos. — *They like cats.*

- If emphasis on the person is required, or clarification with **le**, **les**, both the indirect object form (**me**, **le**, etc.) and the preposition form (**a mí**, **a él**, etc.) are used.

C La isla nos gustó a todos. — *We all liked the island.*
A todos nos gustó la isla. — *All of us liked the island.*
Nos gustó a todos la isla. — *We all of us liked the island.*

- The word order may vary, depending on which word requires emphasis.

29 Direct and indirect object pronouns together

A

S1 ❍ El libro. ¿**Me lo** das?	*'The book. Are you giving it to me?'*
2 ◆ No, no **te lo** doy.	*'No, I'm not giving it to you.'*
P1 **Nos lo** ha regalado Juan.	*Juan has given it to us.*
2 ¿**Os lo** ha regalado?	*Has he given it to you?*

- If both the direct and indirect object pronouns are used with the same verb, the indirect object pronoun always comes first.

S3 **Se lo** doy a él.	*I'm giving it to him.*
¿Los discos? **Se los** doy a ella.	*The records? I'm giving them to her.*
¿La revista? **Se la** doy a usted.	*The magazine? I'm giving it to you.*
P3 ¿La cesta? **Se la** enviamos **a** los Ibáñez.	*The hamper? We're sending it to the Ibañez family.*
Se la damos a las chicas.	*We're giving it to the girls.*
Se la enviamos a ustedes.	*We're sending it to you.*

- If both the direct and indirect object pronouns are in the third person (singular or plural), the indirect object pronoun **le**, **les** becomes **se**. For doubling (**se** lo doy **a él**), see **27**.

B ◆ Si has acabado el libro, ¿quieres **devolvérmelo**?	*'If you've finished the book, will you give it back to me?'*
❍ **Te lo devolveré** mañana.	*'I'll return it to you tomorrow.'*
◆ Bueno. **Dáselo** a mi secretaria.	*'All right. Give it to my secretary.'*

- For positioning, see **22**.

30 Demonstrative adjectives and pronouns (*Los adjetivos y pronombres demostrativos*)

A este

este coche	*this car*	**estos** coches	*these cars*
esta casa	*this house*	**estas** casas	*these houses*
esto	*this*		

- **este** is used for something close to the person speaking.
- **este** is often used in expressions of time, e.g. **esta tarde** *this afternoon*; **este año** *this year*.

B aquel

aquel coche	*that car*	**aquellos** coches	*those cars*
aquella casa	*that house*	**aquellas** casas	*those houses*
aquello	*that*		

- **aquel** is used for something at a distance from both the speaker and the person spoken to. Compare **allí**, **allá** *over there.*

C ese

ese coche	*that car*	**esos** coches	*those cars*
esa casa	*that house*	**esas** casas	*those houses*
eso	*that*		

- **Ese** is used for something close to the person spoken to. Compare **ahí** *there, near you.*

D

❍ El coche negro me gusta.	*'I like the black car.'*
◆ **¿Y éste?**	*'What about this one?'*
❍ Es demasiado grande. Quizás **aquél** …	*'It's too big. Perhaps that one …'*
Se lo cuenta a su jefe. **Éste** se enfada.	*He tells his boss. The latter gets angry.*

- When demonstrative pronouns are used to mean 'this one', 'that one', etc. or 'the latter', 'the former', they are often written with an accent on the stressed syllable.

31 Indefinite pronouns (*Los pronombres indefinidos*)

A

algo	*something, anything*	**nada**	*nothing, not anything*
alguien	*someone, anyone*	**nadie**	*no one, not anyone*

❍ ¿Desea usted **algo**?	*'Do you want something?'*
◆ No, gracias. **No** deseo **nada**.	*'No, thank you. I don't want anything.'*
❍ ¿Había **alguien** en casa?	*'Was anyone at home?'*
◆ Yo no he visto a **nadie**.	*'I didn't see anyone.'*
Nunca más me dirá **nada**.	*(S)he'll never say anything to me again.*
Nadie sabía **nada** del descubrimiento.	*Nobody knew anything about the discovery.*

- **alguien** and **nadie** are used for people. They are always in the singular and never change. They are always used in a general sense when no particular person is referred to.
- If **nadie** or **nada** come *after* the verb, **no** or some other negative word must be placed *before* the verb.
- When **alguien** and **nadie** are direct or indirect objects, the preposition **a** must be placed before them (**24**).

B **alguno (de), alguna (de)**	*some (of), any (of)*
algunos (de), algunas (de)	*some (of), any (of)*
algún hotel	*some hotel, any hotel*
ninguno (de), ninguna (de)	*none (of)*
ningún hotel	*no hotel*

❍ ¿Has leído **alguno de** estos libros?	*'Have you read any of these books?'*
◆ No, no he leído **ninguno**.	*'No, I haven't read any of them.'*
❍ Tienes **algún** amigo aquí?	*'Have you any friends here?'*
◆ No, **ninguno**.	*'No, not one.'*

- **alguno** and **ninguno** are used for both people and things.
- **alguno** and **ninguno** may stand alone and refer back to a phrase.
- When **alguno** and **ninguno** come before a masculine singular noun, they are abbreviated to **algún** and **ningún**.
- The plural forms of **ninguno** are hardly ever used.
- When **ninguno** comes *after* a verb, **no** or some other negative word must be placed *before* the verb.

C No tengo permiso de conducir.	*I have no driving licence.*
No quedan billetes.	*There aren't any tickets left.*

- *No, not any* in English may sometimes correspond to just **no** in Spanish.

D Cuando **uno** viaja por California, **se oye** hablar español por todas partes.	*When one travels in California, one hears Spanish spoken everywhere.*

- For more equivalents of English 'one', see **69**.

E Para ganar **un poco de** dinero, trabajé en una clínica.	*To earn a little money, I worked in a private hospital.*
un poquito de suerte	*a little bit of luck*

- Unstressed *a little, a bit (of)* is the equivalent of **un poco (de)** or **un poquito (de)** in Spanish.

32 Relative pronouns (*Los pronombres relativos*)

A Que

Fuimos a Kos, **que** es una isla interesante.	*We went to Kos, which is an interesting island.*
Durante las dos semanas **que** estuvimos allí	*During the two weeks (that) we were there*
hizo buen tiempo.	*the weather was fine.*
Escribí a Julia, **que** todavía no me ha contestado.	*I wrote to Julia, who has still not answered.*

- **Que** is the most common relative pronoun. It is used for both people and things and also in both singular and plural. **Que** is invariable.
- **Que** may never be left out, as *that, who, which* often are in English.

B El que, la que, los que, las que

una época difícil en **la que** fueron frecuentes las revoluciones	*a difficult time during which revolutions were common*
Las diferencias entre los 19 países en **los que** se habla español son enormes.	*The differences among the 19 countries in which Spanish is spoken are enormous.*

- **El que**, **la que**, etc. are used for things and people for clarification, especially after prepositions.

C El cual, la cual, los cuales, las cuales

Vespucci realizó varios viajes gracias a **los cuales** se creyó que él era el descubridor de América.	*Vespucci made several journeys thanks to which people thought he was the discoverer of America.*

- **El cual**, **la cual**, etc. are used for things and people for clarification, especially after prepositions. They are more common in use than **el que**, **la que**, etc.

D Quien, quienes

El coronel no tiene **quien** le escriba.	*The colonel has no one to (who will) write to him.*
Hay muchos para **quienes** el papel y el lápiz son unos inventos geniales.	*There are many (people) for whom paper and pencil are brilliant inventions.*

- **Quien**, **quienes** are used only for people, especially after prepositions.

E Lo que

Se había llevado todo **lo que** había allí. Le cuenta **lo que** ha pasado.	*(S)he had taken with her/him everything that was there. (S)he is telling him/her what has happened.*

- **Lo que** corresponds to English *what, that which.*

F Donde

en Andalucía, **donde** se encuentra la Alhambra	*in Andalusia, where the Alhambra palace is*

- **Donde** is really a relative adverb and corresponds to English *(in the place) where, (in the place) in which.*

33 Possessive adjectives and pronouns (*Los adjetivos y pronombres posesivos*)

A Unstressed forms when what is possessed is:

singular	*plural*	
mi	mis	*my*
tu	tus	*your (informal)*
su	sus	*his/her/its/your (formal)*
nuestro/a	nuestros/as	*our*
vuestro/a	vuestros/as	*your (informal)*
su	sus	*their/your (formal)*

B Stressed forms when what is possessed is:

singular	*plural*	
mío/a	míos/as	*my; mine*
tuyo/a	tuyos/as	*your; yours (informal)*
suyo/a	suyos/as	*his/her/its/your; his/hers/yours (formal)*
nuestro/a	nuestros/as	*our; ours*
vuestro/a	vuestros/as	*your; yours (informal)*
suyo/a	suyos/as	*their/your; theirs/yours (formal)*

C **mi** mujer y **tu** marido — *my wife and your husband*
¿Dónde está **su** pasaporte? — *Where is his/her/their/your passport?*

- **Su** and **sus** have several meanings and may refer to **él, ella, ellos, ellas, usted** and **ustedes**.

D Este abrigo es **mío**. El **tuyo** está allí. — *This coat is mine. Yours is over there.*

- When the stressed forms do not accompany a noun, they are preceded by the definite article. This is not used in combinations with **ser**.

E ¡Dios **mío**! ¡Madre **mía**! — *Heavens! My goodness!*
Un amigo **mío** lo ha dicho. — *A friend of mine said so.*
Muy señores **míos**: — *Dear Sirs,*

- When the stressed forms accompany a noun, they are placed after it. This often happens in exclamations and the beginnings of letters.

34 Interrogative pronouns and phrases (*Los pronombres interrogativos*)

A ¿**Qué** chicos han venido?	*Which boys came?*
¿**Qué** profesión tiene?	*What is his/her profession?*
¿En **qué** ciudad vive?	*Which town does (s)he live in?*
¿**Qué** ha dicho?	*What did (s)he say?*
¿**Cuánto** cuesta el abrigo?	*How much does the coat cost?*
¿**Cuántos** discos tiene?	*How many CDs has (s)he got?*
¿**Cuántas** flores hay?	*How many flowers are there?*
¿**Cuál** es la más barata?	*Which is the cheapest one?*
¿**Cuáles** son los meses del año?	*What are the months of the year?*
¿**Quién** hizo aquellas llamadas?	*Who made those phone calls?*
¿**Quiénes** son ustedes?	*Who are you?*
¿**A quién** escribes?	*Who are you writing to?*
¿**De quién** es este libro?	*Whose is this book?*
¿**Cómo** está usted?	*How are you?*
¿**Dónde** está Patagonia?	*Where is Patagonia?*
¿**Adónde** vas?	*Where are you going (to)?*
¿**De dónde** vienes?	*Where do you come from?*
¿**Cuándo** te vas?	*When are you leaving?*
¿**Por qué** preguntas?	*Why do you ask?*
But: Pregunto *porque* ...	*I ask because ...*

- **¿Qué?** is invariable. It is used for people as an adjective and for things as both an adjective and a pronoun.
- **¿Quién?**, **¿quiénes?** are used only for people. They are pronouns and therefore independent.
- **¿Cuál?**, **¿cuáles?** are used for people and things. They are used when a choice is necessary. They are pronouns and therefore independent.

B No sé **cómo** se llama.	*I don't know what (s)he's called.*
Dime **dónde** vives.	*Tell me where you live.*
No sabe **adónde** va ni **cuándo** vuelve.	*(S)he doesn't know where (s)he's going nor when (s)he's coming back.*

- Interrogative words always have an accent, even in indirect questions.

Verbs (Los verbos) 35–76

Spanish verbs are divided into three types or conjugations according to their endings.

Conjugation 1	*Conjugation 2*	*Conjugation 3*
-ar verbs	**-er** verbs	**-ir** verbs

35 Present indicative (I speak ...) (*El presente de indicativo*)

	hablar *to speak*	**comer** *to eat*	**vivir** *to live*
S1	**hablo**	**como**	**vivo**
2	**hablas**	**comes**	**vives**
3	**habla**	**come**	**vive**
P1	**hablamos**	**comemos**	**vivimos**
2	**habláis**	**coméis**	**vivís**
3	**hablan**	**comen**	**viven**

- Subject pronouns (**yo**, **tú**, etc.) are mostly not used except for clarification or special emphasis.
- Many verbs end in **-ar**, a smaller group in **-er** and a few in **-ir**.

36 Present subjunctive (I speak ...) (*El presente de subjuntivo*)

	hablar *to speak*	**comer** *to eat*	**vivir** *to live*
S1	**hable**	**coma**	**viva**
2	**hables**	**comas**	**vivas**
3	**hable**	**coma**	**viva**
P1	**hablemos**	**comamos**	**vivamos**
2	**habléis**	**comáis**	**viváis**
3	**hablen**	**coman**	**vivan**

- Most verbs that are irregular in the S1 present indicative form their present subjunctive from this irregular form, e.g. **tengo–tenga, conozco–conozca, oigo–oiga**. For these verbs, see the table of irregular verbs, **81**.

37 Stem-changing verbs *e* → *ie* in the present indicative and subjunctive (*Verbos con diptongo*)

	cerrar *to shut, close*		**querer** *to want, like*		**preferir** *to prefer*	
	indicative	*subjunctive*	*indicative*	*subjunctive*	*indicative*	*subjunctive*
S1	cierro	cierre	quiero	quiera	prefiero	prefiera
2	cierras	cierres	quieres	quieras	prefieres	prefieras
3	cierra	cierre	quiere	quiera	prefiere	prefiera
P1	cerramos	cerremos	queremos	queramos	preferimos	prefiramos
2	cerráis	cerréis	queréis	queráis	preferís	prefiráis
3	cierran	cierren	quieren	quieran	prefieren	prefieran

- The **e** in the stem of these verbs becomes a diphthong, **ie**, when stressed. Other verbs of this type are:
  empezar (a) *to begin*; **pensar** *to think*; **recomendar** *to recommend*; **despertarse** *to wake up*; **sentarse** *to sit down*; **tener** *to have, own* (not in S1: **tengo** *I have*); **venir** *to come* (not in S1: **vengo** *I come*).
- **Preferir** changes **e** to **i** in P1 and P2 of the present subjunctive. It also makes this change in the present participle (**40C**), the preterite (**56**) and the imperfect subjunctive (**59**). Other **-ir** verbs of this type are:
  arrepentirse *to regret*; **divertirse** *to enjoy oneself, have fun*; **sentir** *to feel, be sorry for*; **sugerir** *to suggest*; **advertir** *to warn, inform*; **convertirse (en)** *to become, change into.*

38 Stem-changing verbs *o* → *ue* in the present indicative and subjunctive (*Verbos con diptongo*)

	encontrar *to find*		**poder** *to be able to*		**dormir** *to sleep*	
	indicative	*subjunctive*	*indicative*	*subjunctive*	*indicative*	*subjunctive*
S1	encuentro	encuentre	puedo	pueda	duermo	duerma
2	encuentras	encuentres	puedes	puedas	duermes	duermas
3	encuentra	encuentre	puede	pueda	duerme	duerma
P1	encontramos	encontremos	podemos	podamos	dormimos	durmamos
2	encontráis	encontréis	podéis	podáis	dormís	durmáis
3	encuentran	encuentren	pueden	puedan	duermen	duerman

- The **o** in the stem of these verbs becomes a diphthong, **ue**, when stressed. Other verbs of this type are:
  aprobar *to approve; to pass (an exam)*; **almorzar** *to eat lunch*; **costar** *to cost*; **acostarse** *to go to bed*; **contar** *to count, relate*; **acordarse de** *to remember*; **sonar** *to ring*; **volver** *to return*; **doler** *to ache, hurt*; **llover** *to rain*; **morir** *to die.*
- One verb with **u** in the stem changes this to **ue** in the same way, **jugar a** *to play*: **juego, juegas, juega, jugamos, jugáis, juegan**.

- **Dormir** *to sleep* and **morir** *to die* change **o** to **u** in P1 and P2 of the present subjunctive. They also make this change in the present participle (**40C**), the preterite (**56**) and the imperfect subjunctive (**59**).

39 Vowel-changing verbs *e → i* in the present indicative and subjunctive (*Verbos con cambio de vocal*)

	pedir *to ask for, order*	
	indicative	*subjunctive*
S1	pido	pida
2	pides	pidas
3	pide	pida
P1	pedimos	pidamos
2	pedís	pidáis
3	piden	pidan

- The **e** in the stem is kept only where the ending has a stressed **i**. Other **-ir** verbs of this type are:
  seguir *to follow; to continue*; **decir** *to say*; **servir** *to serve*; **despedirse** *to say goodbye*; **vestirse** *to dress*; **conseguir** *to get, acquire*; **repetir** *to repeat*; **reír(se)** *to laugh*; **elegir** *to choose*.
  These verbs also make this change (**e → i**) in the present participle (**40C**), the preterite (**56**), the imperfect subjunctive (**59**) and the imperative (**63**).

40 Present participle (*El gerundio*)

A **-ar** (stem + **-ando**)

La muchacha **está rellenando** un impreso.	*The girl is filling in a form.*

B **-er**, **-ir** (stem + **-iendo**)

La muchacha **está escribiendo** los datos.	*The girl is writing down the data.*
El chico **estaba comiéndose** una enorme hamburguesa.	*The boy was eating an enormous hamburger.*
Cuando salí, **estaba lloviendo**.	*When I went out, it was raining.*

- **Estar** + present participle expresses something actually happening. It corresponds to the present continuous or the imperfect tense: *is doing/was doing*. The present participle is invariable.
- Note that the **i** of **-iendo** changes to **y** when it comes between two vowels: **leer** (*to read*) **leyendo**, **construir** (*to build*) **construyendo**.

C **-ir** verbs with a vowel change in the present participle:
decir **diciendo**; pedir **pidiendo**; servir **sirviendo**; vestirse **vistiéndose**; repetir **repitiendo**; seguir **siguiendo**; reír riendo (**39**); sonreír **sonriendo**; divertirse **divirtiéndose**; sentir **sintiendo**; preferir **prefiriendo** (**37**); dormir **durmiendo** (**38**).

D	El señor contesta **sonriendo** ...	*The gentleman answers smiling ...*

- The present participle shows one action happening at the same time as another.

E	Tres individuos atracaron ayer la Caja de Ahorros, **llevándose** los documentos de identidad de los empleados.	*Three individuals robbed the Savings Bank yesterday, taking with them the employees' identity cards.*

- Newspapers in particular often use the present participle to show actions happening at the same time.

F	Sigue **escribiendo**.	*(S)he carries on writing.*
	Llevo dos horas **leyendo**.	*I've been reading for two hours.*
	El español va **ganando** terreno.	*Spanish is gaining more and more ground.*

- The present participle is sometimes used after **seguir**, **llevar** and **ir**.

41 Future tense (I shall/will speak ...) (*El futuro*)

	hablar *to speak*	**comer** *to eat*	**vivir** *to live*
S1	**hablaré**	**comeré**	**viviré**
2	**hablarás**	**comerás**	**vivirás**
3	**hablará**	**comerá**	**vivirá**
P1	**hablaremos**	**comeremos**	**viviremos**
2	**hablaréis**	**comeréis**	**viviréis**
3	**hablarán**	**comerán**	**vivirán**

Esta noche **empezará** a llover y **lloverá** durante veinte dias.
Tonight it will start to rain and it will rain for twenty days.

- The future tense is formed from the infinitive + present indicative endings of **haber**.
- Certain stem-changes occur in some common verbs:
  decir **diré**; hacer **haré**; haber **habré** (hay **habrá**); poder **podré**; poner **pondré**; querer **querré**; saber **sabré**; salir **saldré**; tener **tendré**; venir **vendré**.

42 Using the future for supposition

Será un viejo secreto indio.	*It's probably an ancient Indian secr*
❍ ¿Cuántos años tiene el niño?	*'How old is the boy?'*
◆ No sé, **tendrá** apenas tres años.	*'I don't know. He can hardly be thre*

❍ ¿Qué hora es?	*'What's the time?'*
◆ **Serán** las siete y pico.	*'It must be just gone seven.'*
❍ ¿Esta entrada es suya?	*'Is this ticket yours?'*
◆ No, no es mía. No sé de quién **será**.	*'No, it's not mine. I don't know whose it can be.'*

43 Other ways of expressing the future (I'm going to write ...)

A **Ir a** + infinitive

S1	voy a escribir	P1	vamos a escribir
2	vas a escribir	2	vais a escribir
3	va a escribir	3	van a escribir

Esta tarde **voy a escribir** a mi hermano.	*I'm going to write to my brother this afternoon.*
Me parece que **va a llover**.	*I think it's going to rain.*

- The future is often expressed with the present tense of the verb **ir a** + infinitive, especially when something imminent is concerned.
- When is the future tense used and when is **ir a** + infinitive? There is no hard and fast rule. The future is generally used when it is a question of a promise or agreement, and in cases where it is not your own will that decides. **Ir a** + infinitive is perhaps more common in spoken language and corresponds more often with what you are thinking of or intending doing, i.e. using your own will. Compare these two examples: **El tren saldrá a las dos. Después voy a salir a la calle**.

B Spanish present indicative = English *shall*.

¿Tomamos el autobús?	*Shall we catch the bus?*
¿Te traigo un café?	*Shall I bring you a coffee?*

- In questions in the first person (*shall I ...?, shall we ...?*), the present indicative in Spanish corresponds to the English *shall*.

44 Conditional tense (I should/would speak ...) (*El condicional*)

	hablar *to speak*	**comer** *to eat*	**vivir** *to live*
S1	**hablaría**	**comería**	**viviría**
2	**hablarías**	**comerías**	**vivirías**
3	**hablaría**	**comería**	**viviría**
P1	**hablaríamos**	**comeríamos**	**viviríamos**
2	**hablaríais**	**comeríais**	**viviríais**
3	**hablarían**	**comerían**	**vivirían**

Me **gustaría** hacer un viaje.	*I should like to take a trip.*
¿No **sería** mejor irse a México?	*Wouldn't it be better to leave for Mexico?*
Víctor me dijo que **iría** conmigo.	*Victor told me he would go with me.*

- The conditional tense is formed from the infinitive + imperfect indicative endings of **haber**.
- Verbs with stem-changes in the future have the same stem-changes in the conditional. See **41** and the entries for these verbs in the table of irregular verbs, **81**.

45 Using the conditional for supposition in the past

◆ ¿Cuántos años tenía el niño?	*'How old was the little boy?'*
❍ No sé. **Tendría** unos tres o cuatro.	*'I don't know. He could have been three or four.'*

46 The future of the past (I was going to write ...)

S1	iba a escribir	P1	íbamos a escribir
2	ibas a escribir	2	ibais a escribir
3	iba a escribir	3	iban a escribir

¿No dijeron que **iban a tomar** medidas ...?	*Didn't they say they were going to take measures ...?*

- The future of the past is often expressed using the imperfect indicative of the verb **ir a** + infinitive: 'X said (that) (s)he was going to ...'

47 Perfect tense (I have spoken/I spoke ...) (*El pretérito compuesto*)

	hablar *to speak*	**comer** *to eat*	**vivir** *to live*
S1	**he hablado**	**he comido**	**he vivido**
2	**has hablado**	**has comido**	**has vivido**
3	**ha hablado**	**ha comido**	**ha vivido**
P1	**hemos hablado**	**hemos comido**	**hemos vivido**
2	**habéis hablado**	**habéis comido**	**habéis vivido**
3	**han hablado**	**han comido**	**han vivido**

- The Spanish perfect tense is formed from the present indicative of **haber** and the past participle of the main verb.
- Like the English perfect, it shows something that *has happened recently*.
- Sometimes the Spanish perfect corresponds to the English past:

Esta mañana Juan **ha comprado** un coche.	*Juan bought a car this morning.*
¿Qué **ha dicho**?	*What did (s)he say?*

48 Common verbs with irregular past participles

abrir **abierto**; cubrir **cubierto**; decir **dicho**; escribir **escrito**; hacer **hecho**; morir **muerto**; poner **puesto**; resolver **resuelto**; romper **roto**; ver **visto**; volver **vuelto**.

49 *Acabar de* + infinitive

Acabo de llegar de Italia.	*I have just come from Italy.*
Acabamos de arreglar la ducha.	*We have just fixed the shower.*
Acababa de aparcar.	*I had (only) just parked.*

- The English perfect 'to have just done something' corresponds to **acabar de** + infinitive in Spanish. The present tense is used for 'has/have just' and the imperfect for 'had just'.

50 *Llevar* + time expressions

Rosa **lleva** cuatro años en Suecia.	*Rosa has been in Sweden for four years.*
Lleva tres días lloviendo.	*It has been raining for three days.*

- The present indicative of **llevar** + time expression is sometimes used to show something that has happened and *is still happening*.

51 *Hace, hace … que, desde hace* + time expressions

A

hace media hora	*half an hour ago*
Hace un siglo se generalizó el uso de la electridad.	*The use of electricity became widespread a century ago.*

- **Hace** + time expression corresponds to the English *ago*.

B

Hace una semana **que** estoy aquí.	*I've been here a week (and am still here).*
Todo ha cambiado **desde hace** unos años.	*Everything has been changing for some years.*
Te estamos esperando **desde hace** una hora.	*We've been waiting for you for an hour.*
Trabajo en Bogotá **desde hace** un año.	*I've been working in Bogotá for a year.*

- **Hace** + time expression + **que** and **desde hace** + time expression are used when something has been going on for a certain time and *is still going on*.

52 Pluperfect tense (I had spoken ...) (*El pluscuamperfecto*)

	hablar *to speak*	**comer** *to eat*	**vivir** *to live*
S1	**había hablado**	**había comido**	**había vivido**
2	**habías hablado**	**habías comido**	**habías vivido**
3	**había hablado**	**había comido**	**había vivido**
P1	**habíamos hablado**	**habíamos comido**	**habíamos vivido**
2	**habíais hablado**	**habíais comido**	**habíais vivido**
3	**habían hablado**	**habían comido**	**habían vivido**

- The pluperfect is formed from the imperfect indicative of **haber** and the past participle of the main verb.

53 Preterite tense (I spoke ...) (*El pretérito*)

	hablar *to speak*	**comer** *to eat*	**vivir** *to live*
S1	**hablé**	**comí**	**viví**
2	**hablaste**	**comiste**	**viviste**
3	**habló**	**comió**	**vivió**
P1	**hablamos**	**comimos**	**vivimos**
2	**hablasteis**	**comisteis**	**vivisteis**
3	**hablaron**	**comieron**	**vivieron**

- The regular preterite tense has stressed endings.

54 Common verbs with irregular preterites

dar **di**; decir **dije**; estar **estuve**; haber **hube** (hay **hubo**); hacer **hice**; ir **fui**; poder **pude**; poner **puse**; producir **produje**; querer **quise**; saber **supe**; ser **fui**; tener **tuve**; traer **traje**; venir **vine**; ver **vi**.

- Certain verbs have irregular preterite tenses. Their stems change and the stress in S1 and S3 often falls on the stem instead of the ending. See table of irregular verbs, **81**.

55 Use of the preterite

The preterite is one of the tenses used in Spanish to show the past. It refers to completed actions in the past and can be used, among others, in the following cases:

A En junio **trabajé** en una clínica. Luego **fui** a Kos y en agosto **volví** a Bilbao. — *In June I worked in a private hospital, then I went to Kos and in August I returned to Bilbao.*

Ayer **cené** en casa de un amigo. — *Yesterday I had dinner at a friend's house.*

A las ocho **llegaron** las chicas. — *At eight o'clock, the girls came.*

Carlos **compró** la casa en 2001.	*Carlos bought the house in 2001.*

- for narratives or series of events that succeed one another ('first … happened, then …, then …').
- for events that happened at a certain moment in time ('yesterday …', 'at eight o'clock …', 'in 2001 …').

B

Trabajé en una clínica cinco semanas y en Kos **estuve** dos semanas.	*I worked in a private hospital for five weeks and spent two weeks on Kos.*
Me quedé un rato allí.	*I stayed there for a while.*
Durante varios siglos, los cristianos **lucharon** contra los árabes.	*The Christians fought against the Arabs for several centuries.*

- for events that lasted for a limited time and are now over ('for five weeks …', 'for a while …', 'for several centuries …').

C

Estaba en la calle cuando de repente me **di** cuenta de que no llevaba el bolso.	*I was in the street when I suddenly noticed that I didn't have my handbag.*
Cuando **entré** en el cuarto, Ana estaba leyendo el periódico.	*When I went into the room, Ana was reading the paper.*
Cuando tenía dos años, **emigró** con su madre.	*When he was two, he emigrated with his mother.*

- for events that happened while something else was going on. (To describe something going on, the *imperfect* is used in Spanish. See **57–58**.)

56 *-ir* verbs with a vowel change in the preterite

	preferir *to prefer*	**pedir** *to ask for, order*	**dormir** *to sleep*
S1	preferí	pedí	dormí
2	preferiste	pediste	dormiste
3	**prefirió**	**pidió**	**durmió**
P1	preferimos	pedimos	dormimos
2	preferisteis	pedisteis	dormisteis
3	**prefirieron**	**pidieron**	**durmieron**

- The vowels **e** and **o** only remain unchanged when the ending has a stressed **i**.
- Some of these **-ir** verbs take a diphthong in the present tense (see **37–38**) while others take a vowel change (see **39**).
- Only **morir** follows the same pattern as **dormir**.

57 Imperfect indicative (I was speaking …) (*El imperfecto de indicativo*)

	hablar *to speak*	**comer** *to eat*	**vivir** *to live*
S1	**hablaba**	**comía**	**vivía**
2	**hablabas**	**comías**	**vivías**
3	**hablaba**	**comía**	**vivía**
P1	**hablábamos**	**comíamos**	**vivíamos**
2	**hablabais**	**comíais**	**vivíais**
3	**hablaban**	**comían**	**vivían**

- Only **ser** (era), **ir** (iba) and **ver** (veía) are irregular in the imperfect.

58 Use of the imperfect

A El chico **era** pequeñito. — *The boy was really tiny.*
Allí **estaba** el chico. **Estaba comiéndose** una hamburguesa. — *There the boy was. He was eating a hamburger.*
La chica **era** muy alta. **Tenía** el pelo moreno y **llevaba** un traje gris. — *The girl was very tall. She had dark hair and was wearing a grey suit.*

- The imperfect is used to describe what something or someone looked like, what someone was doing or what someone was wearing.

B **Estaba** en el cine. Entró un ladrón y me robó el bolso. — *I was at the cinema. A thief came in and stole my handbag.*
Llovía cuando salí a la calle. — *It was raining when I went out into the street.*
Juan estaba leyendo cuando entré. — *Juan was reading when I went in.*

- The imperfect is used to show something that was going on when something else happened (see **55C**).

C Antes **iba** siempre en autobús al trabajo, pero ahora voy en metro. — *I always used to go to work by bus before, but now I go by underground.*
Ahora me levanto a las siete, pero cuando **iba** en autobús **me levantaba** a las seis. — *Now I get up at seven, but when I went by bus I used to get up at six.*

Pasábamos los días enteros en la playa y allí **comíamos** casi siempre. — *We used to spend all day on the beach and we nearly always ate there.*

- The imperfect is used to show something that used to happen, a repeated action or a habit.

59 Imperfect subjunctive (I spoke ...) (*El imperfecto de subjuntivo*)

	hablar *to speak*	**comer** *to eat*	**vivir** *to live*
S1	**hablara**	**comiera**	**viviera**
2	**hablaras**	**comieras**	**vivieras**
3	**hablara**	**comiera**	**viviera**
P1	**habláramos**	**comiéramos**	**viviéramos**
2	**hablarais**	**comierais**	**vivierais**
3	**hablaran**	**comieran**	**vivieran**
S1	**hablase**	**comiese**	**viviese**
2	**hablases**	**comieses**	**vivieses**
3	**hablase**	**comiese**	**viviese**
P1	**hablásemos**	**comiésemos**	**viviésemos**
2	**hablaseis**	**comieseis**	**vivieseis**
3	**hablasen**	**comiesen**	**viviesen**

- Spanish has two interchangeable forms of the imperfect subjunctive. To form the first person singular of this tense, take the third person plural of the preterite and change **-ron** for **-ra** or **-se**.
- Verbs with a stem-change in the preterite have the same stem-change in the imperfect subjunctive, e.g. **tuvieron: tuvieran/tuviesen**.
- For the use of the imperfect subjunctive, see **67–68**.

60 Affirmative imperative with *tú* and *vosotros*

	mirar *to look at*	**cerrar** *to close, shut*	**probar** *to try (on)*
S	**mira**	**cierra**	**prueba**
P	**mirad**	**cerrad**	**probad**

	comer *to eat*	**volver** *to return*
S	**come**	**vuelve**
P	**comed**	**volved**

	subir *to go up*	**dormir** *to sleep*	**seguir** *to follow*
S	**sube**	**duerme**	**sigue**
P	**subid**	**dormid**	**seguid**

- Verbs with a diphthong in the present tense have the same diphthong in the imperative singular. Verbs with a vowel change in the present tense have the same vowel change in the imperative singular.

61 Common verbs with irregular singular imperatives

	decir *to say*	**hacer** *to do, make*	**oír** *to hear*	**poner** *to put*	**salir** *to go out*	**tener** *to have*	**ir** *to go*	**venir** *to come*
S	**di**	**haz**	**oye**	**pon**	**sal**	**ten**	**ve**	**ven**
P	**decid**	**haced**	**oíd**	**poned**	**salid**	**tened**	**id**	**venid**

62 Negative imperative with *tú* and *vosotros*

	mirar *to look*	**cerrar** *to close, shut*	**probar** *to try (on)*
S	**no mires**	**no cierres**	**no pruebes**
P	**no miréis**	**no cerréis**	**no probéis**
	comer *to eat*	**volver** *to return*	
S	**no comas**	**no vuelvas**	
P	**no comáis**	**no volváis**	
	subir *to go up*	**dormir** *to sleep*	**seguir** *to follow*
S	**no subas**	**no duermas**	**no sigas**
P	**no subáis**	**no durmáis**	**no sigáis**

- S2 and P2 forms of the present subjunctive are used in negative commands.

63 Affirmative and negative imperative with *usted* and *ustedes*

	mirar *to look*	**cerrar** *to close, shut*	**probar** *to try (on)*
S	**mire**	**cierre**	**pruebe**
P	**miren**	**cierren**	**prueben**
	comer *to eat*	**volver** *to return*	
S	**coma**	**vuelva**	
P	**coman**	**vuelvan**	
	subir *to go up*	**dormir** *to sleep*	**seguir** *to follow*
S	**suba**	**duerma**	**siga**
P	**suban**	**duerman**	**sigan**

- These forms are used for a person or persons addressed as **usted** or **ustedes**. They are the same as the S3 and P3 forms of the present subjunctive and are used in both positive and negative commands. For irregular verbs, see **64** and the table of irregular verbs, **81**.F
- NB the infinitive is often used as a command, especially in instructions or advertisements: **Llamar el martes**. *Phone on Tuesday.*

64 The imperative in common polite phrases

Tenga, diez euros.	tener	*Here you are, ten euros.*
Deme dos sellos.	dar	*Give me two stamps.*
Dígame.	decir	*Hello! (answering the phone)*
Oiga.	oír	*Hello! (caller on the phone)* *Excuse me! (to attract attention)*
Diga.	decir	*Can I help you? What would you like?*
Póngame un kilo.	poner	*Give me a kilo.*
Haga el favor de …	hacer	*Please …, Would you kindly …*
Tráigame una cerveza.	traer	*Bring me a beer.*
Siéntese.	sentarse	*Please sit down. (singular)*
Siéntense.	sentarse	*Please sit down. (plural)*
Venga.	venir	*Come on! Come here!*
No se preocupe.	preocuparse	*Don't worry! Never mind!*

65 Position of direct and indirect object pronouns with the imperative

A **Deme** su permiso de conducir. — *Give me your driving licence.*
La puerta; **ciérrala**, por favor. — *The door. Shut it, please.*
Dígamelo. — *Do tell me about it.*

- If one or more object pronouns are used with an affirmative imperative, they are placed after this and joined to it. Note that an accent may be needed.

B ❍ ¿Abro la ventana? — *'Shall I open the window?'*
◆ No, **no la abras**. — *'No, don't open it.'*
Por favor, la multa **no me la pongas**. — *Please don't give me a parking fine.*
No se lo diga a Carlos, por favor. — *Don't tell Carlos about it, please.*

- If one or more object pronouns are used with a *negative imperative*, they are placed *before* the verb and *after* the negation (**no**, **nunca**).

66 The subjunctive in main clauses

A La ternera quizás **esté** un poco sosa. — *The veal is perhaps rather tasteless.*
¡**Viva** México! — *Up with Mexico!*
¡Que **aproveche**! — *Enjoy your meal! Bon appétit!*
¡Que **te diviertas**! — *Enjoy yourself! Have a good time!*
¡Que **te mejores** pronto! — *Get well soon!*
¡Que te **vaya** bien! — *Good luck!*

- In main clauses, the subjunctive is often used after **quizá(s)**, **puede que**, etc. (perhaps, maybe). It also occurs in many common expressions, most of which begin with **que** from **quiero que ...**, **deseo que ...** etc.

B No nos **alarmemos**. — *Let's not get alarmed.*
Sentémonos. — *Let's sit down.*

- The present subjunctive is also used in expressions corresponding to the English *let's (not), (don't) let's.*

67 The subjunctive in subordinate clauses

The subjunctive is used:

A in **que**-clauses governed by expressions of wanting, hoping, forbidding, commanding and suggesting, where the subject of the **que**-clause is different from the subject of the main verb:

Quiero que mi hijo **hable** español.	*I want my son to speak Spanish.*
Espero que me **conteste** usted pronto.	*I hope that you will reply quickly.*
No permiten que yo la **visite**.	*They won't allow me to visit her.*
¿Me **recomienda que** le **escriba**?	*Do you recommend me to write to him/her?*
Una amiga me **ha dicho que** le **envíe** una carta a usted.	*A girl-friend told me to send a letter to you.*
Les **ruego (que)** me **confirmen** ...	*I request you to confirm for me ...*
El médico me **aconsejó que comiera** menos y que **durmiera** más.	*The doctor advised me to eat less and sleep more.*

B in **que**-clauses governed by expressions of need:

Es importante que sea un hombre cariñoso.	*It's important that he should be an affectionate man.*
No **es necesario que sea** guapa.	*It's not necessary for her to be good-looking.*

C in **que**-clauses governed by emotion and expressing subjective feelings, judgements or opinions:

Perdone que le **moleste**.	*I'm sorry to trouble you.*
Les **agradezco que** me **hayan reservado** ...	*Thank you for booking for me ...*
Es bueno que sepan que los domingos nuestras oficinas están cerradas.	*It's as well for you to know that our offices are closed on Sundays.*
Es raro que haya tantas cabras aquí.	*It's strange that there are so many goats here.*

D in **que**-clauses governed by uncertainty and doubt:

No creo que nadie me **escriba**.	*I don't believe that anyone will write to me.*
Es muy posible que tengamos secador de pelo.	*It's very likely that we'll have a hairdryer.*

E in relative clauses expressing requirements:

Deseo conocer a gente que viva en Pamplona.	*I want to get to know people who live in Pamplona.*
Necesito a alguien que tenga paciencia.	*I need someone who is patient.*
Busco un piso que tenga ventanas grandes.	*I'm looking for a flat which has large windows.*

F in clauses beginning with **para que** (*so that*), **antes de que** (*before*) and **como si** (*as if, as though*):

Te lo digo **para que** lo **sepas**.	*I'm telling you so that you'll know.*
Antes de que nos **hayamos** levantado, la calefacción ya habrá empezado a funcionar.	*Before we've got up, the central heating will have switched on.*
Va **como si** la calle **fuera** suya.	*(S)he drives as if the road belonged to him/her.*

G in time clauses expressing the future, e.g. after **cuando**:

Cuando termine mis estudios empezaré a buscar trabajo.	*When I finish studying I shall start looking for work.*

H in clauses beginning with **aunque** (*even if*):

Vendré **aunque llueva**.	*I'll come even if it rains.*
But: Sale el sol *aunque está* lloviendo.	*The sun is coming out although it's raining.*

68 Conditional sentence types (what would happen or would have happened if ...)

A

Si fuera un Picasso auténtico **costaría** un millón.	*If it were a genuine Picasso it would cost a million.*
Entenderíamos lo que dice **si hablara usted** más despacio.	*We would understand what you're saying if you spoke more slowly.*

- ***Si**-clause*: imperfect subjunctive *Main clause*: conditional

B

Si ese hombre no hubiera ido tan rápido, **no habría pasado** nada.	*If that man hadn't been driving so fast, nothing would have happened.*
Si tú no hubieses estado mirando la moto, **no habría ocurrido/no hubiera ocurrido** nada.	*If you hadn't been looking at the motor-cycle, nothing would have happened.*

- ***Si**-clause*: pluperfect subjunctive *Main clause*: perfect conditional or pluperfect subjunctive in **-ra** form.

69 Impersonal reflexive – English 'one' or passive

A **Se oye** hablar español por todas partes. — *One hears Spanish spoken everywhere.*

Se puede decir que vivíamos en la playa. — *One can say that we used to live on the beach.*

- The impersonal reflexive often corresponds to 'one' in English. The verb is in the third person singular when there is no noun.

B **Lo que** sí **se sabe** es que … — *What is known is that …*

Aquí **se hablan todas las lenguas**. — *All languages are spoken here.*

Los ordenadores se pueden usar para todo. — *Computers can be used for everything.*

- The impersonal reflexive also corresponds to the English passive. The reflexive verb is singular if it refers to *one* thing, but plural if it refers to *several* things.

C **Se ve a una** muchacha. — *A girl can be seen.*

Se ve a unos señores. — *Some men can be seen.*

- The reflexive verb is always singular if it refers to people, whether there is one person or several.

D **Dicen que** la merluza del Cantábrico es la mejor de España. — *They (i.e. people) say that hake from the Bay of Biscay is the best in Spain.*

Llaman a la puerta. — *They are (i.e. someone is) knocking at the door.*

- The third person plural of the present indicative is often the equivalent of the vague English 'they', 'people' or 'someone'.

70 The passive

El presidente **es respetado por todos**. — *The president is respected by everyone.*

La ciudad **fue fundada** hacia 1586. — *The city was founded around 1586.*

- The passive in Spanish is formed from **ser** + past participle. The participle always agrees with the subject.

71 Use of estar

A Patagonia **está** en Argentina. — *Patagonia is in Argentina.*

Juan **está** en la sala. — *Juan is in the living room.*

Mi coche **está** en el garaje. — *My car is in the garage.*

- **Estar** = to be (situation, place, position)

B ❍ ¿Cómo **está** usted? — *'How are you?'*

◆ **Estoy** bien, gracias. — *'I'm fine, thanks.'*

- **Estar** = to be (state of health)

72 Use of *ser*

Mi hermano **es** mecánico.	*My brother is a mechanic. (occupation)*
Esta señora **es** mi madre.	*This lady is my mother. (relationship)*
La mayoría de los españoles **son** católicos.	*Most Spaniards are Catholics. (religion)*
García Márquez **es** colombiano.	*García Márquez is Colombian. (nationality)*
Es el nueve de noviembre.	*It's the ninth of November. (date)*
Son las doce.	*It's twelve o'clock. (time)*
Picasso **era** de Málaga.	*Picasso was from Malaga. (origin)*
❍ ¿Qué **es** esto?	*'What's this?'*
◆ **Es** un cuadro.	*'It's a picture.' (definition, explanation)*

- **Ser** is used with nouns or other words functioning as nouns. It shows occupation, relationship, religion, etc.

73 *Ser* and *estar* with adjectives

Either **ser** or **estar** can be used with adjectives. Which is chosen depends on how the adjective is interpreted and what it refers to.

A	La chica **es** muy alta.	*The girl is very tall. (appearance)*
	Es morena.	*She's dark. (appearance)*
	Es muy simpática.	*She's very nice. (character)*
	Su maleta **es** negra.	*Her suitcase is black. (colour)*
	Es grande y larga.	*It's big and long. (shape)*

- **Ser** is used if the adjective shows some permanent characteristic of a person or thing.

B	El piso **estaba** vacío.	*The flat was empty. (Someone had taken the contents.)*
	La oficina **está** cerrada.	*The office is closed. (Someone has closed it.)*
	Estoy muy contento.	*I'm very happy. (Someone or something has made me happy.)*
	Muchos **están** orgullosos de su lengua.	*Many people are proud of their language. (Something has made them proud.)*
	La merluza **está** excelente.	*The hake is excellent. (It has been cooked well.)*

- **Estar** is used if the adjective shows something temporary, the result of a change taking place.

C	El inspector **está** muy **sorprendido**.	*The inspector is very surprised. (Something has surprised him.)*
	La península Ibérica **está poblada** desde hace muchos años.	*The Iberian peninsula has been inhabited for many years. (People have inhabited it.)*

Estaba muy **impresionado** por la ciencia de su amigo.	*I was very impressed by your friend's knowledge. (Something had impressed me.)*
Mis pilas **están** bastante **gastadas**.	*My batteries are quite run down. (Use has worn them out.)*
Yo **estaba encantado**.	*I was delighted. (Something had delighted me.)*

- When a past participle is used as an adjective, the verb is nearly always **estar**.

74 *Ser* versus *estar*

Compare these sentences where **ser** and **estar** are used with the same adjective. The choice of verb affects the meaning.

A	El cielo **es** azul.	*The sky is blue.*
	¡Mira! ¡Qué azul **está** el cielo hoy!	*Look how blue the sky is today!*

- **Ser**: It is characteristic of the sky to be blue. **Estar**: Today in particular, the sky looks unusually blue.

B	❍ Pedro no **está** muy simpático hoy.	*'Pedro isn't very nice today.'*
	◆ ¡Qué raro! Él que **es** tan simpático.	*'How strange! He's usually so charming.'*

- **Estar**: He is not making a good impression today. **Ser**: It is characteristic of him to be pleasant.

C	La película **es** triste.	*The film is sad.*
	Ana **está** triste.	*Ana is sad.*

- **Ser**: The film belongs in the category of 'sad' films. **Estar**: Something has made her sad; she feels sad.

D	Estas uvas **son** dulces.	*These grapes are sweet.*
	Este café **está** muy dulce.	*This coffee is very sweet.*

- **Ser**: They are a sweet kind of grape. **Estar**: Someone has put too much sugar in.

E	No **soy** una persona nerviosa, pero con tanta gente **estoy** muy nervioso.	*I'm not a nervous kind of person, but I'm very nervous with so many people.*
	❍ ¡Qué joven **está** usted, abuelito!	*'How young you look, grandpa!'*
	◆ Y tú, ¡qué joven **eres**, niño!	*'And you, how young you are, my boy!'*
	❍ ¡Qué guapa **estás**!	*'How pretty you look!'*
	◆ No **estoy** guapa, lo **soy**!	*'I don't look pretty, I am pretty!'*

- **Ser**: People actually are so by nature. **Estar**: They seem or appear so.

F	❍ **Estoy listo** con la tarea.	*'I've finished the job.'*
	◆ ¡Qué **listo eres**!	*'How clever you are!'*

75 Some condensed clauses

A **Al** + infinitive

Al entrar, descubrieron que el piso estaba vacío.	*On going in, they discovered that the flat was empty.*
Al salir, se despidió.	*As (s)he went out, (s)he said goodbye.*

B **Antes de** + infinitive

Antes de empezar las vacaciones, le escribí una carta.	*Before the holidays started, I wrote her/him a letter.*
Antes de terminar el día, todos estuvieron de acuerdo.	*Before the day was over, everyone agreed.*

C **Después de** + infinitive

Después de mirar durante un buen rato, llamó a sus colegas.	*After looking for quite a while, he called in his colleagues.*

D Main clause omitted before **que**-clause

❍ Pero hombre, ¿qué te pasa?	*'But what's wrong, old chap?'*
◆ **Que** ha desaparecido mi mochila.	*'My rucksack has disappeared.'*
... **que** he leído que la gente aquí vive muchos años.	*... for I've read that the people here live for a long time.*

- Before **que**-clauses, the whole of the main clause is sometimes omitted when its verb is one of saying or feeling.

76 Negatives

A

No está en Santiago.	*It/(S)he isn't in Santiago.*
No ha comprado el piso.	*(S)he hasn't bought the flat.*
¡**No** lea mas!	*Don't read any more!*

- **No** is placed before a simple verb, before the auxiliary verb in a compound tense and before the imperative.

B

No desayuno **nunca** en casa.	*I never have breakfast at home.*
Pablo **nunca** desayuna en la cafetería.	*Pablo never has breakfast at the café.*
No quiero **nada** más.	*I don't want anything else.*
Nada especial.	*Nothing special.*
No hay **ningún** hotel por aquí.	*There is no hotel round here.*
No ha llegado **nadie**.	*No one has arrived.*
No llovió **ni** un solo día.	*It didn't rain, not for a single day.*
El explorador **nunca** le preguntó **nada** sobre su secreto.	*The explorer never asked him anything about his secret.*
Nadie sabía **nada** de **ningún** descubrimiento.	*No one knew anything about any discovery.*

- If **nunca**, **nada**, **ninguno**, **nadie** or **ni** come *after* the verb, **no** or some other negative word must be placed *before* the verb.

C ¿La carta? Yo **no** la tengo. — *The letter? I haven't got it.*
No la he leído. — *I haven't read it.*
¿No me das la carta? — *Won't you give me the letter?*
No me acuerdo del nombre. — *I can't remember the name.*

- **No** is always placed before the object pronoun, whether it is direct, indirect or reflexive.

Diminutives (Los diminutivos) 77

77 A con un **poquito** de suerte — *with a little bit of luck*

un **cursillo** de ordenadores — *a short computer course*
El chico era **pequeñito**. — *The boy was tiny.*
¿Pueden esperar un **ratito**? — *Can you wait a little while?*
Vivía en un **pueblecito** de la costa. — *(S)he lived in a little town on the coast.*

- The endings **-(c)ito**, **-(c)ico**, **-(c)illo** may be added to nouns and adjectives to form diminutives: **poco** *little*; **curso** *course*; **pequeño** *small*; **rato** *a while*; **pueblo** *town*. See also spelling changes, **78**.

B Iré a ver a mis **abuelitos**. — *I'll go and see my grandma and grandpa.*
besitos para **Juanito** — *kisses to little Juan*

- Diminutive endings often express affection, tenderness and closeness.

Pronunciation and spelling (La pronunciación y la ortografía) 78–79

78 Some spelling changes

1	**K**-sound	**sacar saqué** **Marruecos marroquí**	**c** → **qu** before **e, i**
2	**G**-sound	**pagar pagué** **algo alguien**	**g** → **gu** before **e, i**
3	**C**-sound	**empezar empecé** **taza tacita**	**z** → **c** before **e, i**
4	**Jota**-sound	**coger cojo, coja**	**g** → **j** before **o, a**

5 The **i**-sound is written with the letter **i** except when it falls between two vowels, when it becomes **y**, e.g. in **¡oye!** (*listen!*). Compare **¡oiga!** (*listen!*).

6 Before words beginning with **i-** or **hi-**, **y** (*and*) becomes **e**, e.g. padre **e hijos** (*father and sons*); **España e Inglaterra** (*Spain and England*). Note, however, that before words beginning with **hie-**, **y** does not change, e.g. **carbón y hierro** (*coal and iron*).

7 Before words beginning with **o-** or **ho-**, **o** (*or*) becomes **u**, e.g. **siete u ocho** (*seven or eight*).

8 Between figures, **o** (*or*) has an accent, e.g. **6 ó 7**.

79 The Spanish alphabet

a [a]	h [atʃe]	ñ [eɲe]	u [u]
b [be]	i [i]	o [o]	v [uβe]
c [θe]	j [χota]	p [pe]	w [uβe doβle]
d [de]	k [ka]	q [ku]	x [ekis]
e [e]	l [ele]	r [ere]	y [iɣrjeɣa] 'i griega'
f [efe]	m [eme]	s [ese]	z [θeta, θeda]
g [χe]	n [ene]	t [te]	

- **ñ** is a separate letter in Spanish and comes after **n** in alphabetical lists.
- All the letters are feminine.

Spanish in Latin America (El español en Latinoamérica) 80

80 Just as there are differences in European Spanish (Andalusian, Castilian, etc.) there are also differences in Latin-American Spanish. It is possible to draw a border line between 'lowland Spanish', spoken in the areas round the Caribbean Sea and in South America (Argentina, Uruguay and Chile), and 'highland Spanish', as spoken, for instance, in Peru, Colombia and Mexico.

The differences largely affect pronunciation and vocabulary, although there are also a few grammatical differences. But it is important to remember that people from different parts of the Spanish-speaking world can understand each other without any difficulty.

Pronunciation

In European Spanish, most differences from standard Castilian are found in the dialectal variations of southern and western Spain.

In Spanish America, it is in the lowland areas (the Caribbean and La Plata region) that pronunciation differs most from standard Castilian.

Seseo: All over Spanish America (and in the Canary Islands and parts of southern Spain), **z** and **c** before **e** and **i** are pronounced like an ordinary English *s*-sound. This is called **seseo**, as in **policía** [polisia], **taza** [tasa].

Weak 's': In the lowland areas, **s** before a consonant or word-ending tends to be weakened considerably, or simply disappear. This also happens in the Canary Islands and in parts of southern Spain. **S** is pronounced with an *h*-like sound, as in, for instance: **Las muchachas no están en España** [lah mutʃatʃah no ehtan en ehpaɲa].

Yeísmo: All over Spanish America, the sounds for **ll** and **y** are the same, i.e. they are pronounced like a *y*-sound. This is also very widespread in Spain and is called **yeísmo**. In the La Plata countries (Argentina and Uruguay), this **y** becomes a stressed *sh*-sound as in **calle** [kaʒe] or **castellano** [kahteʒano]; **yo** [ʒo]; **uruguayo** [uruwaʒo].

Grammar

There are certain grammatical differences between European and American Spanish in the use of pronouns and in some verb forms and tenses.

Voseo: This occurs most of all in Argentina and Uruguay, but also in parts of Central America. It involves using **vos** as a form of address instead of **tú**.

The forms that follow **vos** in **-ar** and **-er** verbs are the same as in the second person plural minus the letter 'i', and **sois** becomes **sos**, **vais** becomes **vas**, **hacéis** becomes **hacés**. So you say **vos sos** (= tú eres) and **vos hacés** (= tú haces). **Vos** has the object pronoun **te** and the possessive form **tu**, e.g. **Y a vos, ¿cómo te va? ¿Hablás con tu hermano?** The imperative form used with **voseo** is the second person plural, but without the **-d**. You say **mirá** (= mira), **fijate** (= fíjate) and **escuchame** (= escúchame).

'Ustedes' vs. 'vosotros': Wherever **voseo** is used and in most parts of Spanish America where **tú** is said, **ustedes** is used instead of **vosotros**. **Ustedes** is thus the form for addressing everyone in the plural, both formally and informally. This also occurs in dialect in Andalusia, Extremadura and the Canary Islands.

Use of the preterite: In many areas of Spanish America, the preterite is used where the perfect would be used in Spain, e.g. **¿Se enteraron ustedes que ...?** instead of **¿Se han enterado ustedes que ...?**

Diminutives: It is very common all over Spanish America to use the diminutive forms to emphasize the meaning of a word rather than to show smallness or affection (see **77A–B**), e.g.: **ahorita** (*at once*) and **hasta lueguito** are used instead of **ahora** or **hasta luego**.

Vocabulary

As a result of the Spanish conquest of America, a number of Indian words were absorbed into the European language. For examples of such words, see Unit 12. Indian languages (for instance, **nahuatl** in Mexico, **quechua** in Ecuador and Peru and **guaraní** in Paraguay) affected the vocabulary of Spanish rather than other features of the language.

Apart from this influence, vocabulary is comparatively uniform throughout the Spanish-speaking world. Many words usually regarded as 'Americanisms' stem, in fact, from old Spanish or words still in use in Spanish dialects today.

Here are some words with different meanings in Spanish America and Spain:

If a Spanish American says:	(s)he probably means:	A Spaniard might think:	and would say:
acá	*here*	*round here*	aquí
allá	*there*	*over there*	allí
apurarse	*to hurry up*	*to fret about*	darse prisa
boleto	*ticket*	*lottery ticket*	billete
carro	*car*	*cart*	coche
cómo no	*of course*	*obviously*	claro
chico	*small, little*	*boy*	pequeño
flojo	*lazy*	*weak, feeble*	perezoso
fósforo	*match*	*phosphorous*	cerilla
manejar	*to drive a car*	*to handle, see to*	conducir
no más	*only*	*no longer*	sólo
papa	*potato*	*pope*	patata
pararse	*to get up*	*to stop*	levantarse
plata	*money*	*silver*	dinero

Irregular verbs (Los verbos irregulares) 81

81 On the following pages are the most important irregular verbs that appear in the texts. They are set out as follows:

- The forms are in the order they are introduced into the texts: present indicative, perfect, preterite, imperfect indicative, etc.
- The present tense form is given in full throughout, regardless of the degree of its irregularity.
- For wholly regular forms in other tenses, the first person singular is given.
- Wholly or partly irregular forms are either given in full, or, when the continuation is obvious, in the first and second person followed by *etc.*

	pres. indicative	*perfect*	*preterite*	*imperf. indicative*	*pluperfect*

abrir to open *pres. participle* abriendo

S1	abro	he **abierto**	abrí	abría	había **abierto**
2	abres	has **abierto**			habías **abierto**
3	abre	*etc.*			*etc.*
P1	abrimos				
2	abrís				
3	abren				

agradecer to be grateful, thank *pres. participle* agradeciendo

S1	**agradezco**	he agradecido	agradecí	agradecía	había agradecido
2	agradeces				
3	agradece				
P1	agradecemos				
2	agradecéis				
3	agradecen				

andar to walk *pres. participle* andando

S1	ando	he andado	**anduve**	andaba	había andado
2	andas		**anduviste**		
3	anda		**anduvo**		
P1	andamos		**anduvimos**		
2	andáis		**anduvisteis**		
3	andan		**anduvieron**		

aparecer to show oneself, appear: *see* agradecer

atraer to attract: *see* traer

caer to fall *pres. participle* ca**y**endo

S1	**caigo**	he caído	caí	caía	había caído
2	caes		caíste		
3	cae		ca**y**ó		
P1	caemos		caímos		
2	caéis		caísteis		
3	caen		ca**y**eron		

coger to take hold of *pres. participle* cogiendo

S1	co**j**o	he cogido	cogí	cogía	había cogido
2	coges				
3	coge				
P1	cogemos				
2	cogéis				
3	cogen				

	future	*conditional*	*pres. subjunctive*	*imperf. subj. 1*	*imperf. subj. 2*

imperative S2 abre P2 abrid S3 abra P3 abran

S1	abriré	abriría	abra	abriera	abriese
2					
3					
P1					
2					
3					

imperative S2 agradece P2 agradeced S3 **agradezca** P3 **agradezcan**

S1	agradeceré	agradecería	**agradezca**	agradeciera	agradeciese
2			**agradezcas**		
3			*etc.*		
P1					
2					
3					

imperative S2 anda P2 andad S3 ande P3 anden

S1	andaré	andaría	ande	**anduviera**	**anduviese**
2				**anduvieras**	**anduvieses**
3				*etc.*	
P1					
2					
3					

imperative S2 cae P2 caed S3 **caiga** P3 **caigan**

S1	caeré	caería	**caiga**	cayera	cayese
2			**caigas**	cayeras	cayeses
3			*etc.*	*etc.*	*etc.*
P1					
2					
3					

imperative S2 coge P2 coged S3 coja P3 cojan

S1	cogeré	cogería	coja	cogiera	cogiese
2			cojas		
3			*etc.*		
P1					
2					
3					

	pres. indicative	*perfect*	*preterite*	*imperf. indicative*	*pluperfect*
	conducir to drive, lead *pres. participle* conduciendo				
S1	**conduzco**	he conducido	**conduje**	conducía	había conducido
2	conduces		**condujiste**		
3	conduce		**condujo**		
P1	conducimos		**condujimos**		
2	conducís		**condujisteis**		
3	conducen		**condujeron**		
	conocer to know, get to know a person *pres. participle* conociendo				
S1	**conozco**	he conocido	conocí	conocía	había conocido
2	conoces				
3	conoce				
P1	conocemos				
2	conocéis				
3	conocen				
	conseguir to obtain, get, attain: *see* seguir				
	constituir to form, constitute *pres. participle* constitu**y**endo				
S1	**constituyo**	he constituido	constituí	constituía	había constituido
2	**constituyes**		constituiste		
3	**constituye**		constituyó		
P1	constituimos		constituimos		
2	constituís		constituisteis		
3	**constituyen**		constituyeron		
	crecer to grow: *see* agradecer				
	cubrir to cover *pres. participle* cubriendo				
S1	cubro	he **cubierto**	cubrí	cubría	había **cubierto**
2	cubres	has **cubierto**			habías **cubierto**
3	cubre	*etc.*			*etc.*
P1	cubrimos				
2	cubrís				
3	cubren				
	dar to give *pres. participle* dando				
S1	**doy**	he dado	**di**	daba	había dado
2	**das**		**diste**		
3	**da**		**dio**		
P1	**damos**		**dimos**		
2	**dais**		**disteis**		
3	**dan**		**dieron**		

	future	conditional	pres. subjunctive	imperf. subj. 1	imperf. subj. 2
	imperative S2 conduce P2 conducid S3 **conduzca** P3 **conduzcan**				
S1	conduciré	conduciría	**conduzca**	**condujera**	**condujese**
2			**conduzcas**	**condujeras**	**condujeses**
3			*etc.*	*etc.*	*etc.*
P1					
2					
3					
	imperative S2 conoce P2 conoced S3 **conozca** P3 **conozcan**				
S1	conoceré	conocería	**conozca**	conociera	conociese
2			**conozcas**		
3			*etc.*		
P1					
2					
3					
	imperative S2 **constituye** P2 constituid S3 **constituya** P3 **constituyan**				
S1	constituiré	constituiría	**constituya**	constitu**y**era	constitu**y**ese
2			**constituyas**	constitu**y**eras	constitu**y**eses
3			*etc.*	*etc.*	*etc.*
P1					
2					
3					
	imperative S2 cubre P2 cubrid S3 cubra P3 cubran				
S1	cubriré	cubriría	cubra	cubriera	cubriese
2					
3					
P1					
2					
3					
	imperative S2 **da** P2 dad S3 **dé** P3 **den**				
S1	daré	daría	**dé**	**diera**	**diese**
2			**des**	**dieras**	**dieses**
3			**dé**	*etc.*	*etc.*
P1			**demos**		
2			**deis**		
3			**den**		

	pres. indicative	*perfect*	*preterite*	*imperf. indicative*	*pluperfect*

decir to say *pres. participle* diciendo

S1	**digo**	he **dicho**	**dije**	decía	había **dicho**
2	**dices**	has **dicho**	**dijiste**		habías **dicho**
3	**dice**	*etc.*	**dijo**		*etc.*
P1	decimos		**dijimos**		
2	decís		**dijisteis**		
3	**dicen**		**dijeron**		

desaparecer to disappear, vanish: *see* agradecer

descubrir to discover: *see* cubrir

detener to arrest, detain, stop: *see* tener

devolver to return, give back: *see* volver

dirigir to lead, direct *pres. participle* dirigiendo

S1	dirijo	he dirigido	dirigí	dirigía	había dirigido
2	diriges				
3	dirige				
P1	dirigimos				
2	dirigís				
3	dirigen				

distraer to distract: *see* traer

dormir to sleep *pres. participle* **durmiendo**

S1	**duermo**	he dormido	dormí	dormía	había dormido
2	**duermes**		dormiste		
3	**duerme**		**durmió**		
P1	dormimos		dormimos		
2	dormís		dormisteis		
3	**duermen**		**durmieron**		

escribir to write *pres. participle* escribiendo

S1	escribo	he **escrito**	escribí	escribía	había **escrito**
2	escribes	has **escrito**			habías **escrito**
3	escribe	*etc.*			*etc.*
P1	escribimos				
2	escribís				
3	escriben				

	future	*conditional*	*pres. subjunctive*	*imperf. subj. 1*	*imperf. subj. 2*

imperative S2 **di** P2 decid S3 **diga** P3 **digan**

S1	**diré**	**diría**	**diga**	**dijera**	**dijese**
2	**dirás**	**dirías**	**digas**	**dijeras**	**dijeses**
3	*etc.*	*etc.*	*etc.*	*etc.*	*etc.*
P1					
2					
3					

imperative S2 dirige P2 dirigid S3 dirija P3 dirijan

S1	dirigiré	dirigiría	dirija	dirigiera	dirigiese
2			dirijas		
3			etc.		
P1					
2					
3					

imperative S2 **duerme** P2 dormid S3 **duerma** P3 **duerman**

S1	dormiré	dormiría	**duerma**	**durmiera**	**durmiese**
2			**duermas**	**durmieras**	**durmieses**
3			**duerma**		
P1			**durmamos**		
2			**durmáis**		
3			**duerman**		

imperative S2 escribe P2 escribid S3 escriba P3 escriban

S1	escribiré	escribiría	escriba	escribiera	escribiese
2					
3					
P1					
2					
3					

	pres. indicative	perfect	preterite	imperf. indicative	pluperfect
	estar to be (location or state of health) *pres. participle* estando				
S1	**estoy**	he estado	**estuve**	estaba	había estado
2	**estás**		**estuviste**		
3	**está**		**estuvo**		
P1	estamos		**estuvimos**		
2	estáis		**estuvisteis**		
3	**están**		**estuvieron**		
	haber to have *(as auxiliary verb)* *pres. participle* habiendo				
S1	**he**	**hube**	había		
2	**has**	**hubiste**			
3	**ha**	**hubo**			
P1	**hemos**	**hubimos**			
2	habéis	**hubisteis**			
3	**han**	**hubieron**			
	haber to exist *(impersonal)* *pres. participle* habiendo				
S3	hay	ha habido	hubo	había	había habido
	hacer to do, make *pres. participle* haciendo				
S1	**hago**	he **hecho**	**hice**	**hacía**	había **hecho**
2	haces	has **hecho**	**hiciste**		habías **hecho**
3	hace	*etc.*	**hizo**		*etc.*
P1	hacemos		**hicimos**		
2	hacéis		**hicisteis**		
3	hacen		**hicieron**		
	huir to flee, escape *pres. participle* hu**y**endo				
S1	**huyo**	he huido	huí	huía	había huido
2	**huyes**		huiste		
3	**huye**		huyó		
P1	huimos		huimos		
2	huís		huisteis		
3	**huyen**		huyeron		
	influir to influence: *see* huir				

	future	*conditional*	*pres. subjunctive*	*imperf. subj. 1*	*imperf. subj. 2*
	imperative S2 **está** P2 estad S3 **esté** P3 **estén**				
S1	estaré	estaría	**esté**	**estuviera**	**estuviese**
2			**estés**	**estuvieras**	**estuvieses**
3			**esté**	*etc.*	*etc.*
P1			**estemos**		
2			**estéis**		
3			**estén**		
S1	**habré**	**habría**	**haya**	**hubiera**	**hubiese**
2	**habrás**	**habrías**	**hayas**	**hubieras**	**hubieses**
3	*etc.*	*etc.*	*etc.*	*etc.*	*etc.*
P1					
2					
3					
	habrá	**habría**	**haya**	**hubiera**	**hubiese**
	imperative S2 **haz** P2 haced S3 **haga** P3 **hagan**				
S1	**haré**	**haría**	**haga**	**hiciera**	**hiciese**
2	**harás**	**harías**	**hagas**	**hicieras**	**hicieses**
3	*etc.*	*etc.*	*etc.*	*etc.*	*etc.*
P1					
2					
3					
	imperative S2 **huye** P2 huid S3 **huya** P3 **huyan**				
S1	huiré	huiría	**huya**	**huyera**	**huyese**
2			huyas	huyeras	huyeses
3			*etc.*	*etc.*	*etc.*
P1					
2					
3					

ir to go, travel *pres. participle* yendo

	pres. indicative	*perfect*	*preterite*	*imperf. indicative*	*pluperfect*
S1	**voy**	he ido	**fui**	**iba**	había ido
2	**vas**		**fuiste**	**ibas**	
3	**va**		**fue**	**iba**	
P1	**vamos**		**fuimos**	**íbamos**	
2	**vais**		**fuisteis**	**ibais**	
3	**van**		**fueron**	**iban**	

jugar to play (games) *pres. participle* jugando

	pres. indicative	*perfect*	*preterite*	*imperf. indicative*	*pluperfect*
S1	**juego**	he jugado	jug**ué**	jugaba	había jugado
2	**juegas**		jugaste		
3	**juega**		*etc.*		
P1	jugamos				
2	jugáis				
3	**juegan**				

morir to die *pres. participle* muriendo

	pres. indicative	*perfect*	*preterite*	*imperf. indicative*	*pluperfect*
S1	**muero**	he **muerto**	morí	moría	había **muerto**
2	**mueres**	has **muerto**	moriste		habías **muerto**
3	**muere**	*etc.*	**murió**		*etc.*
P1	**morimos**		morimos		
2	**morís**		moristeis		
3	**mueren**		**murieron**		

nacer to be born *pres. participle* naciendo

	pres. indicative	*perfect*	*preterite*	*imperf. indicative*	*pluperfect*
S1	**nazco**	he nacido	nací	nacía	había nacido
2	naces				
3	nace				
P1	nacemos				
2	nacéis				
3	nacen				

oír to hear *pres. participle* **oyendo**

	pres. indicative	*perfect*	*preterite*	*imperf. indicative*	*pluperfect*
S1	**oigo**	he oído	oí	oía	había oído
2	**oyes**		oíste		
3	**oye**		oyó		
P1	oímos		oímos		
2	oís		oísteis		
3	**oyen**		oyeron		

parecer to seem: *see* agradecer

	future	conditional	pres. subjunctive	imperf. subj. 1	imperf. subj. 2
	imperative S2 **ve** P2 **id** S3 **vaya** P3 **vayan**				
S1	iré	iría	**vaya**	**fuera**	**fuese**
2			**va**yas	**fueras**	**fueses**
3			va**ya**	*etc.*	*etc.*
P1			**vaya**mos		
2			**vayáis**		
3			**vayan**		
	imperative S2 **juega** P2 jugad S3 **juegue** P3 **jueguen**				
S1	jugaré	jugaría	**juegue**	jugara	jugase
2			**juegues**		
3			**juegue**		
P1			jug**u**emos		
2			jug**u**éis		
3			**jueguen**		
	imperative S2 **muere** P2 morid S3 **muera** P3 **mueran**				
S1	moriré	moriría	**muera**	**muriera**	**muriese**
2			**mueras**	**murieras**	**murieses**
3			**muera**	*etc.*	*etc.*
P1			**muramos**		
2			**muráis**		
3			**mueran**		
S1	naceré	nacería	**nazca**	naciera	naciese
2			**nazcas**		
3			*etc.*		
P1					
2					
3					
	imperative S2 **oye** P2 oíd S3 **oiga** P3 **oigan**				
S1	oiré	oiría	**oiga**	oyera	oyese
2			**oigas**	oyeras	oyeses
3			*etc.*	*etc.*	*etc.*
P1					
2					
3					

	pres. indicative	*perfect*	*preterite*	*imperf. indicative*	*pluperfect*
	poder to be able *pres. participle* **pudiẹndo**				
S1	**puẹdo**	he podịdo	**pụde**	podị́a	habị́a podịdo
2	**puẹdes**		**pụdiste**		
3	**puẹde**		**pụdo**		
P1	podẹmos		**pudịmos**		
2	podẹ́is		**pudịsteis**		
3	**puẹden**		**pudiẹron**		
	poner to put, place, lay *pres. participle* poniendo				
S1	**pọngo**	he **puẹsto**	**pụse**	ponị́a	habị́a **puẹsto**
2	pọnes	has **puẹsto**	**pụsiste**		habị́as **puẹsto**
3	pọne	*etc.*	**pụso**		*etc.*
P1	ponẹmos		**pusịmos**		
2	ponẹ́is		**pusịsteis**		
3	pọnen		**pusiẹron**		
	producir to produce: *see* conducir				
	querer to want, wish for, love *pres. participle* queriẹndo				
S1	**quiẹro**	he querịdo	**quịse**	querị́a	habị́a querịdo
2	**quiẹres**		**quịsiste**		
3	**quiẹre**		**quịso**		
P1	querẹmos		**quisịmos**		
2	querẹ́is		**quisịsteis**		
3	**quiẹren**		**quisiẹron**		
	recoger to fetch, pick up: *see* coger				
	reconocer to recognize, admit: *see* conocer				
	reducir to reduce, lessen: *see* conducir				
	reír to laugh *pres. participle* **riẹndo**				
S1	**rị́o**	he reị́do	reị́	reị́a	habị́a reị́do
2	**rị́es**		reị́ste		
3	**rị́e**		**riọ́**		
P1	reị́mos		reị́mos		
2	reị́s		reị́steis		
3	**rị́en**		**riẹron**		

	future	*conditional*	*pres. subjunctive*	*imperf. subj. 1*	*imperf. subj. 2*
S1	**podré**	**podría**	**pueda**	**pudiera**	**pudiese**
2	**podrás**	**podrías**	**puedas**	**pudieras**	**pudieses**
3	*etc.*	*etc.*	*etc.*	*etc.*	*etc.*
P1					
2					
3					

imperative S2 **pon** P2 poned S3 **ponga** P3 **pongan**

S1	**pondré**	**pondría**	**ponga**	**pusiera**	**pusiese**
2	**pondrás**	**pondrías**	**pongas**	**pusieras**	**pusieses**
3	*etc.*	*etc.*	*etc.*	*etc.*	*etc.*
P1					
2					
3					

imperative S2 **quiere** P2 quered S3 **quiera** P2 **quieran**

S1	**querré**	**querría**	**quiera**	**quisiera**	**quisiese**
2	**querrás**	**querrías**	**quieras**	**quisieras**	**quisieses**
3	*etc.*	*etc.*	**quiera**	*etc.*	*etc.*
P1			queramos		
2			queráis		
3			**quieran**		

imperative S2 **ríe** P2 reíd S3 **ría** P3 **rían**

S1	reiré	reiría	**ría**	**riera**	**riese**
2			**rías**	**rieras**	**rieses**
3			*etc.*	*etc.*	*etc.*
P1					
2					
3					

	pres. indicative	*perfect*	*preterite*	*imperf. indicative*	*pluperfect*
	resolver to solve, resolve *pres. participle* resolviendo				
S1	**resuelvo**	he **resuelto**	resolví	resolvía	había **resuelto**
2	**resuelves**	has **resuelto**			habías **resuelto**
3	**resuelve**	*etc.*			*etc.*
P1	resolvemos				
2	resolvéis				
3	**resuelven**				
	saber to know (facts), be able (know how to) *pres. participle* sabiendo				
S1	**sé**	he sabido	**supe**	sabía	había sabido
2	sabes		**supiste**		
3	sabe		**supo**		
P1	sabemos		**supimos**		
2	sabéis		**supisteis**		
3	saben		**supieron**		
	salir to go out, leave, depart *pres. participle* saliendo				
S1	**salgo**	he salido	salí	salía	había salido
2	sales				
3	sale				
P1	salimos				
2	salís				
3	salen				
	seguir to follow, continue *pres. participle* **siguiendo**				
S1	**sigo**	he seguido	seguí	seguía	había seguido
2	**sigues**		seguiste		
3	**sigue**		**siguió**		
P1	seguimos		seguimos		
2	seguís		seguisteis		
3	**siguen**		**siguieron**		
	ser to be, exist *pres. participle* **siendo**				
S1	**soy**	he **sido**	**fui**	**era**	había **sido**
2	**eres**	has **sido**	**fuiste**	**eras**	habías **sido**
3	**es**	*etc.*	**fue**	**era**	*etc.*
P1	**somos**		**fuimos**	**éramos**	
2	**sois**		**fuisteis**	**erais**	
3	**son**		**fueron**	**eran**	
	sonreír to smile: *see* reír				

imperative S2 **resuẹlve** P2 resolved S3 **resuẹlva** P3 **resuẹlvan**

	future	*conditional*	*pres. subjunctive*	*imperf. subj. 1*	*imperf. subj. 2*
S1	resolverẹ́	resolverị́a	**resuẹlva**	resolviẹra	resolviẹse
2			**resuẹlvas**		
3			*etc.*		
P1					
2					
3					

imperative S2 sạbe P2 sabẹd S3 **sẹpa** P3 **sẹpan**

	future	*conditional*	*pres. subjunctive*	*imperf. subj. 1*	*imperf. subj. 2*
S1	**sabrẹ́**	**sabrị́a**	**sẹpa**	**supiẹra**	**supiẹse**
2	**sabrạ́s**	**sabrị́as**	**sẹpas**	**supiẹras**	**supiẹses**
3	*etc.*	*etc.*	*etc.*	*etc.*	*etc.*
P1					
2					
3					

imperative S2 **sal** P2 salịd S3 **sạlga** P3 **sạlgan**

	future	*conditional*	*pres. subjunctive*	*imperf. subj. 1*	*imperf. subj. 2*
S1	**saldrẹ́**	**saldrị́a**	**salga**	saliẹra	saliẹse
2	**saldrạ́s**	**saldrị́as**	**salgas**		
3	*etc.*	*etc.*	*etc.*		
P1					
2					
3					

imperative S2 **sịgue** P2 seguịd S3 **sịga** P3 **sịgan**

	future	*conditional*	*pres. subjunctive*	*imperf. subj. 1*	*imperf. subj. 2*
S1	seguirẹ́	seguirị́a	**sịga**	**siguiẹra**	**siguiẹse**
2			**sịgas**	**siguiẹras**	**siguiẹses**
3			*etc.*	*etc.*	*etc.*
P1					
2					
3					

imperative S2 **sé** P2 sed S3 **sẹa** P3 **sẹan**

	future	*conditional*	*pres. subjunctive*	*imperf. subj. 1*	*imperf. subj. 2*
S1	serẹ́	serị́a	**sẹa**	**fuẹra**	**fuẹse**
2			**sẹas**	**fuẹras**	**fuẹses**
3			*etc.*	*etc.*	*etc.*
P1					
2					
3					

	pres. indicative	*perfect*	*preterite*	*imperf. indicative*	*pluperfect*
	tener to have, possess, own *pres. participle* teniendo				
S1	**tengo**	he tenido	**tuve**	tenía	había tenido
2	**tienes**		**tuviste**		
3	**tiene**		**tuvo**		
P1	tenemos		**tuvimos**		
2	tenéis		**tuvisteis**		
3	**tienen**		**tuvieron**		
	traer to bring, fetch *pres. participle* tra**y**endo				
S1	**traigo**	he traído	**traje**	**traía**	había traído
2	traes		**trajiste**		
3	trae		**trajo**		
P1	traemos		**trajimos**		
2	traéis		**trajisteis**		
3	traen		**trajeron**		
	venir to come *pres. participle* **viniendo**				
S1	**vengo**	he venido	**vine**	venía	había venido
2	**vienes**		**viniste**		
3	**viene**		**vino**		
P1	venimos		**vinimos**		
2	venís		**vinisteis**		
3	**vienen**		**vinieron**		
	ver to see *pres. participle* **viendo**				
S1	**veo**	he **visto**	**vi**	**veía**	había **visto**
2	**ves**	has **visto**	**viste**	**veías**	habías **visto**
3	**ve**	*etc.*	**vio**	*etc.*	*etc.*
P1	**vemos**		**vimos**		
2	**veis**		**visteis**		
3	**ven**		**vieron**		
	volver to return, come back *pres. participle* volviendo				
S1	**vuelvo**	he **vuelto**	volví	volvía	había **vuelto**
2	**vuelves**	has **vuelto**			habías **vuelto**
3	**vuelve**	*etc.*			*etc.*
P1	volvemos				
2	volvéis				
3	**vuelven**				

	future	*conditional*	*pres. subjunctive*	*imperf. subj. 1*	*imperf. subj. 2*
	imperative S2 **ten** P2 tened S3 **tenga** P3 **tengan**				
S1	**tendré**	**tendría**	**tenga**	**tuviera**	**tuviese**
2	**tendrás**	**tendrías**	**tengas**	**tuvieras**	**tuvieses**
3	*etc.*	*etc.*	*etc.*	*etc.*	*etc.*
P1					
2					
3					
	imperative S2 trae P2 traed S3 **traiga** P3 **traigan**				
S1	traeré	traería	**traiga**	**trajera**	**trajese**
2			**traigas**	**trajeras**	**trajeses**
3			*etc.*	*etc.*	*etc.*
P1					
2					
3					
	imperative S2 **ven** P2 venid S3 **venga** P3 **vengan**				
S1	**vendré**	**vendría**	**venga**	**viniera**	**viniese**
2	**vendrás**	**vendrías**	**vengas**	**vinieras**	**vinieses**
3	*etc.*	*etc.*	*etc.*	*etc.*	*etc.*
P1					
2					
3					
	imperative S2 **ve** P2 ved S3 **vea** P3 **vean**				
S1	veré	vería	**vea**	**viera**	**viese**
2			**veas**	**vieras**	**vieses**
3			*etc.*	*etc.*	*etc.*
P1					
2					
3					
	imperative S2 **vuelve** P2 volved S3 **vuelva** P3 **vuelvan**				
S1	volveré	volvería	**vuelva**	**volviera**	**volviese**
2			**vuelvas**		
3			**vuelva**		
P1			volvamos		
2			volváis		
3			**vuelvan**		

Spanish–English vocabulary

Numbers after words refer to the unit in which the word first appears.
Words without a number appeared in *¡Ya! 1*.

With masculine nouns ending in **-o** and feminine nouns ending in **-a**, no gender is given. Gender of other nouns is indicated as *m* or *f*.

,- after some adjectives shows that there is no change in the feminine singular.

/**ie**/ and /**ue**/ show that the verb diphthongizes in certain present-tense forms. See Grammar 37–38. /**i**/ and /**u**/ show that the verb belongs to the vowel-change group. See Grammar 38–39.

(*L. Am.*) shows usage or meaning in Latin America. (*Arg.*) (*Col.*) (*Mex.*) and (*Sp.*) show usage or meaning in Argentina, Colombia, Mexico and Spain respectively.

Remember that **ñ** is a separate letter in the Spanish alphabet and follows **n**.

Abbreviations used in this section are:

abbrev.	abbreviation	fut.	future	m, masc.	masculine
adj.	adjective	f, fem.	feminine	past part.	past participle
adv.	adverb	imp.	imperative	pers. pron.	personal pronoun
comp.	comparative	imperf.	imperfect	pl	plural
cond.	conditional	imperf. subj.	imperfect subjunctive	prep.	preposition
conj.	conjunction			pres. part.	present participle
def. art.	definite article	impers.	impersonal	pres. subj.	present subjunctive
dim.	diminutive	indir. obj.	indirect object	pret.	preterite
dir. obj.	direct object	inf.	infinitive	rel. pron.	relative pronoun
expr.	expression	inv.	invariable	sing.	singular

A

a to; at; for; prep. with indir. obj.
abogado lawyer 12
abrazo hug, embrace 4
abril April 23
abrir to open; turn on (a tap) 24
absoluto: **en absoluto** certainly not, by no means 19
abuela grandmother
abuelo grandfather 3
abundante,- abundant, plentiful 17
aburrir to bore, tire, weary 21
acá here 15
acabar to finish, end 28; **acabar de** + inf. to have just + past part. 2
acaso: **por si acaso** just in case 31
acceso access 22
accidente *m* : **accidente de aviación** flying accident 28
acción *f* action 17
aceptar to receive, accept 11
acercar to move closer 19; to pass (by hand) 26
acercarse (a alguien, algo) to approach, go up (to someone, something), get closer 7
acero steel 28
aconsejar to advise 20
acordarse /ue/ (de alguien, algo) to remember, recall (someone, something) 18
acostarse /ue/ to go to bed 31
actitud attitude 11
actividad *f* activity 4
acuerdo agreement; **de acuerdo** OK, agreed; all right; **estar de acuerdo** to be in agreement, be agreed 18
además in addition 3
además de besides 15
adiós goodbye, farewell 5
adjunto, -a enclosed herewith 24
admirar to admire 18
¿adónde? where to? 2
aficionado: **ser aficionado a los deportes** to be keen on sports 21
África *f* (but **el África**) Africa 12
afueras *f pl* outskirts 28
agarrar to grasp, grab, nab 15
agosto August 4

agradable,- pleasant, pleasing 21
agradecer (agradezco) to be grateful, thank 23
agrario, -a agricultural 17
agrícola,- agricultural 28
agricultura farming, agriculture 17
agua *f* (but *el* **agua**) water 11; **agua mineral** mineral water
aguacate avocado 25
ahora now 3
ahorrar(se) to save; avoid 27
ahorro saving, savings 10; **caja de ahorros** savings bank 10
aire *m* air
ajo garlic 26; **al ajillo** in garlic sauce 26
al = a + el 6
aldea village 13
alegrarse to be pleased, be glad, be happy 10
alegría joy, gladness; **¡qué alegría!** what fun! what joy! 4
alejarse to go further away 11
alemán *m* German (language)
alemán, **alemana** German
alerta alert 15
algo something, some 11
algodón *m* cotton 15
alguien someone 10
algún/alguno, -a some 15; someone, something
algunos, -as some 10
alimento food, foodstuffs 14; food, diet 31
allá there 13; over there, in that place 14
allí there 2
almuerzo lunch 26
alojar to accommodate, stay (at), lodge, put up 3
alquilar to rent, hire
alrededor de about, round about 32
alrededores *m pl* the area round about 21
altitud altitude 25
alto, -a high, tall 21; **alta velocidad** high speed 7
amable,- friendly, kind 19
amablemente in a friendly way, kindly 8
amazónico, -a Amazon, belonging to the area by and around the River Amazon 13
ambos, -as both 23
americano, -a American 14
amiga (female) friend 3
amigo (male) friend 3
amistad *f* friendship 13; **hacer amistad con** to make friends with 13; **hacer amistades** to make friends 30
analfabetismo illiteracy 14
analizar to analyse, investigate 18
Andalucía Andalusia 12
andaluz, -a from Andalusia, Andalusian
andar to go, walk 4
andar con to be with, go with 4
andar de cabeza to have plenty to do, be up to one's ears in work 4
andén *m* platform 5
Andes, los the Andes 14
animal *m* animal 22
anfiteatro amphitheatre 13
anónimo, -a anonymous 18
ante in front of, before, face-to-face with, facing 11
antes earlier, before, previously 11; first, before this 27; **lo antes posible** as soon as possible 23
antes de before + time expr. 11
antes de (+ inf.) before + … ing 3
anticuado, -a out of date 30
antropología anthropology 18
anunciarse to announce, advertise 15
añadir to add 16
año year; **el año pasado** last year, a year ago 4; **el año que viene** next year 4; **a los 18 años (de edad)** at 18 years of age 28
apagar to switch off 25
aparato gadget, machine 30
aparcamiento parking place/lot 9
aparcado, -a parked 10
aparcar to park 33
aparecer (aparezco) to appear, find 18
apartamento apartment, flat 24
apellido surname 1
apenas hardly, scarcely 11
apetecer to please, attract 26; **¿qué te apetece?** what do you fancy?
aprender to learn 22
aprobar /ue/ to approve of; to pass an exam 4
aprovechar to use, take advantage of 23
aproximadamente roughly, about, approximately 9
apuntar to aim 8
aquel, aquella that (there) 18
aquellos, -as those (there) 14
aquello all that 11
aquí here; **por aquí (cerca)** somewhere near here 8
árbol *m* tree 12
archipiélago archipelago, island area 3
arena sand 11
argentino, -a Argentinian 14
arma *f* (but ***el* arma**) weapon, arms (*pl*) 8
armado, -a armed 10
armario cupboard 24
arqueológico, -a archaeological 18
arqueólogo archaeologist 18
arquitectura architecture 18
arreglar to arrange, settle, clear up; to mend, repair, fix 24
arroz *m* rice 12; **arroz con leche** rice pudding 26
arte *m* (sometimes *f*) art 32

artesanía handicrafts 14
artesano craftsman 12
asado, -a roast 26
asegurar to assure 11
así so, like that 7; in that way 15; thus 16
Asia *f* (but ***el*** **Asia**) Asia 12
asiento seat 6
aspecto aspect 17
astrofísica astrophysics 25
astrónomo astronomer 25
asunto affair, matter, concern 34
asustar to frighten 8
asustarse to be frightened, get scared 8
atención *f* attention; **prestar atención** to pay attention 18
atentamente attentively, Yours faithfully (in business letters) 26; **le saluda atentamente** Yours sincerely, with kind regards 23
Atlántico, el the Atlantic 14
atracador *m* robber, person staging a hold-up 8
atracar to rob, hold up 10
atraco robbery, hold-up 8
atraer (atraigo) to attract 17
atuendo decoroso dressed appropriately 29
aumento increase 15
aumentar to increase 17
aún still 17
aunque although 3
auténtico, -a genuine, real 27
autobús *m* bus 2
autopista motorway 11
autoridad *f* authority 18
avalancha avalanche 15
avanzado, -a well-developed, advanced 17
avanzar to go forward, advance, continue 18
avenida avenue, wide street 17
aviación aviation 28
avisar to inform, tell 24
ayer yesterday 4; **ayer por la mañana** yesterday morning 10
ayudar to help 8
ayuntamiento town/city hall 11
azteca *m* Aztec 14
azúcar *m* sugar 12

B

bacalao cod 26
bailar to dance 21
baile *m* dance 28
baja: baja laboral (sick) leave 11; **estar de baja** to be on leave 11
bajar to go down 8
bajarse de to get out of, from 10
bajo, -a low 8
banano banana palm 12
banco bank; bench 7
bañarse to bathe, take a bath 11
baño bathroom, bath 23
bar *m* bar
barato, -a cheap, inexpensive
barco boat, ship, vessel 12
barra bar counter; bar, block (of toffee) 27
barrio part of town, quarter, district; **barrio obrero** working-class quarter/area 16
bastante quite, fairly, rather 3
bastante, -s quite a lot of, some 21
basura rubbish, garbage 29
batidora mixer 30
beber to drink 26
bebida drink 31
beso kiss 4
besugo red mullet 26
bicicleta bicycle 22
bien well, good; **está bien** that's enough, sufficient 2; **bien es verdad** it is certainly true 11
billete *m* ticket; banknote 7
bisabuelos *m pl* great-grandparents 30
blanco, -a white 26
bloque *m* (stone) block 18
boca mouth 31
bocadillo sandwich
bogotano, -a from Bogotá 20
bolas, boleadoras lassoo with weighted balls to catch cattle 28
bolso (hand)bag 9
bonito, -a beautiful, lovely, pretty, fine 27
bota boot 28
botella bottle 26
botín *m* loot, booty, haul 10
Brasil, (el) Brazil 14
brazo arm 16
breve,- short; **en breves momentos** shortly 5
bruscamente suddenly, abruptly 14
buenísimo very good indeed 26
buen(o), buena good 5
bueno, bueno all right, all right! 1
buscar to seek, look for; collect, meet (someone somewhere) 22

C

caballo horse 12
cabecera bed-head 27; **médico de cabecera** doctor, general practitioner 27
cabeza head 4; **andar de cabeza** to have a lot to do, be up to one's ears in work 4
cable *m* cable, wire 18
cabo end, conclusion 17; **llevar(se) a cabo** to achieve, carry out, through 17
cacao cocoa-bush/bean 12
cada (inv.) each, every; **cada día** (+ comp.) more and more; every day 12; **cada vez** each time 13
café *m* coffee (bush) 12; café, bar 15
café solo small cup of black coffee 26
cafetería bar, cafeteria 8
caja till, cash-desk 8; chest, case; box 19

cajera cashier (female) 8

cajero cashier (male)

calabaza pumpkin; gourd (container for *mate*) 28

calcular to calculate 17

calefacción *f* heating 30

calendario calendar, almanack 14

calentador *m* (water) heater, boiler 24

calentar /ie/ to heat, warm

calidad *f* quality; **calidad de vida** quality of life 11

caliente,- hot 24

calle *f* street 1

calmar(se) to calm down 9

calor *m* heat; **hace calor** it's hot (weather) 13

cama bed, sleeper (on train) 6

cámara camera 8

camarera waitress, chambermaid, cleaning lady 24

camarero waiter 26

cambiar to exchange, change (money), cash (a cheque) 7; to change, alter 3

cambiar de + *noun* to change, exchange 6

cambio change 17; change (of bedding, linen, clothing) 24

campesino peasant 12

campo countryside, the country; field 22

canario, -a from the Canary Islands 25

cancela gate 29

cancelar to cancel 23

canción *f* song 16

Cantábrico, el Cantabria; sea and coast of the Bay of Biscay 26; **el Mar Cantábrico** the Bay of Biscay

cantante *m,f* singer 16

cantar to sing 28

cantidad *f* quantity, amount 28

caña stalk, stem; cane 12

caña de azúcar sugar cane 14

capital *f* capital city 14

cara face 8

carabela caravel, small light ship 12

carbón coal, charcoal 28

cariñoso, -a tender, loving, affectionate 21

carne *f* meat, flesh 26

carné (sometimes **carnet**) *m* card, licence, permit; **carné de identidad** identity card

caro, -a expensive, dear 8

carrera race; career; row (street) 20

carretera road, highway 11

carta letter 21; menu 26; **carta de vinos** wine list 26

cartera wallet 9

casa house, home 9; **a casa** home 10; **en casa** at home 20

cascabel *m* little bell 18

casi nearly, almost, hardly 4

casilla box, (square) button (on a machine) 6

castillo castle 11

católico, -a Catholic 12

caucho rubber 12

causa cause 11

celebrar to celebrate 28

cemento cement 17

cena dinner, evening meal 26

cenar to have dinner 31

cenicero ashtray 19

central,- central 17

centro middle, centre 8

cepillo de dientes *m* toothbrush 30

cerca (de) near (to), close (to) 8

cerdo pig 12

cereales *m pl* corn, grain, cereals 28

cerilla match 19

cerrar /ie/ to close, shut 24

cesta basket 24

chalé (sometimes **chalet**) *m* chalet 3

champán *m* champagne 27

champiñón *m* mushrooms 26; **al champiñón** with mushrooms 26

cheque *m* cheque 7

chica girl 20

chico boy 21

Chile, (el) Chile 14

chirimoya custard apple 25

chiringuito refreshment stall/stand, restaurant on a beach 11

chocar to shock; to crash 34; **chocar contra** to collide with, crash into 34

chocolate *m* chocolate 12

cielo sky, heaven 25

ciencia knowledge 13

científico, -a *adj.* scientific 14; scientist 25

cien(to) a hundred 3

cinco five

cincuenta fifty

cine *m* cinema 9

ciudad *f* town, city 6

ciudadano town-dweller, citizen 11

civil,- civil 28

claridad clarity 25

claro, -a clear, pure, clean 11

claro naturally, of course 5; **claro que sí** yes, of course; **claro que no** of course not 19

clase *f* lesson, lecture; class 6; kind, sort 32; **toda clase de** all kinds of 32

clase social social class 14

cliente *m* customer, client 31

clima *m* climate 17

clínica private nursing home, clinic or hospital 3

coche *m* car 9; carriage (train/horse) 6

cocina kitchen 24

código law; highway code 34

coger (cojo) take, grasp, grab, take hold of 8

cola queue 6; **hacer cola** to queue, stand in a queue 2

colapso collapse, breakdown 17

colega *m,f* colleague, professional friend 18
coleccionar to collect 21
colgar /ue/ to hang up, put down (the receiver) 18
colilla cigarette end 29
colocar to place, position 4
colocarse to place oneself, put oneself 6
colonia colony 14
colonial,- colonial 17
colonizador *m* settler, colonizer 14
colonizar to colonize, settle 25
color *m* colour 9
comedor *m* dining room
comentar to comment on, point out 16
comenzar /ie/ (a + inf.) to begin, start (to do/doing) 14
comer to eat; **coma** (imp.) eat! 31
comerciante *m* trader, merchant 14
comestible,- edible 29
comida food, meal; lunch
comisaría police station 9
como as, like 6; as, because 8
¿cómo? how?; what? 1
comodidad *f* comfort 24
compañía firm, company, business 17
comparable a comparable to 14
complacer (complazco) to please, give pleasure to 23
completamente completely, totally 10
compositor *m* composer 28
comprar to buy, purchase 27
compras *f pl* purchases, articles bought
comprensivo, -a understanding, tolerant 21
compromiso obligation, commitment 21
comunicar to inform, tell 23
con with 3
concentrado concentrated 17
condición *f* condition 14
conducir (conduzco) to lead, guide; to drive 1
conductor *m* driver 34
confirmar to confirm 23
confundir (con) to confuse (with), mistake (for) 12
congelado, -a frozen 26
conmigo with me 15
conocer (conozco) to know, get to know 20
conocido, -a well-known, famous 17
conquistar to conquer 14
consejo piece of advice 20
considerar to think, consider 30
consolidado, -a consolidated 28
constante,- constant, lasting 17
constituir (constituyo) to form, constitute 16
construcción *f* building 13
construido, -a built 28
construyó (pret. of **construir**) he/she built 28
consulta doctor's surgery 31
consultar to consult, seek advice from 13; to look up 6
contaminación *f* contamination, pollution 17
contaminado, -a polluted 22
contar /ue/ to tell, relate 11; **contar(se) con** to count on, rely on 16
contemporáneo, -a contemporary 28
contento, -a content, satisfied, happy 13
contestar to answer, reply 4
contigo with you 13
continente *m* continent 14
continuar (continúo) (haciendo algo) to continue (to do/doing something) 10
continuo, -a constant, continuous, continuing 16
contra against 14
convertir(se) /ie/, /i/ (en) to be transformed, changed (into), become 11
coordinar to co-ordinate 25
copia copy 32
corazón *m* heart 28
cordero (asado) (roast) lamb 26
correo(s) *m* post, mail 20
correr to run 8
corriendo running 9
cortado *m* coffee with a little hot milk in it 26
cortar to cut 26
corto, -a short
cosa thing 4
cosechar to harvest 25
costa coast 11
costar /ue/ to cost 32
costumbre *f* custom, habit 14
crear to create 17
crecer (crezco) to grow, increase 20
crecimiento increase 17
creer to believe, think 4
criollo Creole, South-American descendant of Spanish immigrants 14
crisis *f* crisis 28
cruce *m* (street) crossing; intersection 18
cruz *f* cross 12; **la Cruz Roja** the Red Cross 15
cruzar to cross (over) 5
cuadrado, -a square; **kilómetros cuadrados** square kilometres 17
cuadro picture, painting 32
¿cuál? which? (choice) 16
cualquier(a) any 30
cuando when, as 8
¿cuándo? when? 9
¿cuánto? how much? 2
¡cuánto tiempo sin verte! it's been a long time!, long time no see! 2
cuarenta forty
cuarto room; quarter, a fourth 12; **cuarto de baño** bathroom 24

cuatro four
cubano, -a Cuban 16
cuchillo knife 26
cuenta bill 26; **darse cuenta de** to realise 9
cuero leather; hide 28
cuidado care, caution; watch out! careful! 15; **tener cuidado** to be careful, take care, look out
culpa guilt, blame, fault 34; **por culpa de** because of
cultivar to cultivate, grow 22
cultivo cultivation, crop 25
culto, -a educated, cultured 21
cultura culture 16
culturalmente culturally 14
cumplir to obey, fulfil 29
cumplirse to be fulfilled 13
cuna cradle; home, birthplace 28
cura *m* priest 12
curioso, -a curious, interesting, strange, odd 18
cursillo short course 4

D

dar (doy) to give; state 11; **dar a** to face towards, look out on 23; **darse cuenta de** to notice, realize, discover 9
dato information, detail (*pl*) 6
de from, of 1, 4
dé (**usted** imp. of **dar**) give!
debe de ... it must ... 26
decenio decade, ten years 17
decidido, -a decisive, determined 8
decidir(se) (a hacer algo) to decide (to do something) 3
decir /i/ (digo) to say 5
dedicarse (a) to devote oneself (to) 17
defender /ie/ to defend 16
definitivo, -a definitive, final, ultimate 24
dejar to leave; let, permit, allow 4
del = de + el (def. art.) 3
delante (adv. of place) before, in front, opposite; **delante de** (prep.) in front of, before 10
deleite *m* enjoyment; **para deleite de** for the benefit/enjoyment of 25
delicadito: ¡qué delicadito! what a softy! 11
delicia delight 11
delincuente *m* criminal, delinquent 10
demasiado too, far too; too much 14
demasiados, -as *adj.* too many ... 27
democrático, -a democratic 28
dentro de (prep.) within 5; inside 10
dentro de poco in a while, soon, shortly 13
denunciar to report, denounce 10
depende it depends 14
dependencia dependence, reliance 28
depender de to depend on, be dependent on 14
dependienta *f* shop assistant (female) 8
deportado, -a deported 15
deporte *m* sport 21
depositar to put, place, deposit 27
derecha right(-hand side); **por la derecha** from the right 33
derecho law 3; right 16
derecho straight, direct 8; **todo derecho** straight ahead 8
desaparecer (desaparezco) to disappear, vanish 8
desarrollado, -a developed 14
desarrollarse to develop, evolve; to take place, happen, occur 18
desarrollo development, growth, expansion 14
desastroso, -a terrible, devastating, disastrous 28
desayunar to have breakfast 31
desayuno breakfast 23
descendiente *m* descendant, offspring 14
desconocido, -a unknown 14
descubierto (past part. of **descubrir**) discovered 12; **descubierto, -a por** discovered by 12
descubrimiento discovery 14
descubrir to discover 10
desde from, since; ever since 11; **desde entonces** since then 20; **desde hace unos años** for some years
desear to wish, wish for 15
desembocadura river mouth 28
desempleo unemployment 15
desengaño disappointment 28
despacio slowly 32
despertar /ie/ a alguien to waken someone, wake someone up 30
despertarse /ie/ to wake up 31
después afterwards, after, later, then 4
después de after (+ time expr.) 10
destacar to be noted, stand out 25
destacarse to stand out 17
destino destination, to 6
destrozar to destroy, ruin 15
detenido, -a arrested 15
detrás (adv. of place) behind
detrás de (prep.) behind 6
devolver /ue/ to give back, return, send back 15
di (pret. of **dar**) I gave 9; (**tú** imp. of **decir**) say! 8
día *m* day; **el otro día** the other day 15; **quince días** a fortnight, two weeks
día de fiesta holiday 24
diámetro diameter 14
diario daily newspaper 10; **a diario** daily
dicho (past part. of **decir**) said 5
dichoso, -a blessed, wretched 34
diciembre December
dictadura dictatorship 14

diferencia difference 17
diferente,- different 17
difícil,- difficult, troublesome 12
dificultad *f* difficulty 8
diga (**usted** imp. of **decir**) say! 9
dijo (pret. of **decir**) she said 8
dinero money 3
dio (pret. of **dar**) she gave 8
diosa goddess 18
dirá (fut. of **decir**) he will say 13
dirección *f* address 1; direction; management (board)
directo, -a direct 6
director *m* director, leader, manager; editor 11
dirigirse a, **hacia** to go to, head for, turn towards 8
discutir to discuss, argue about 34
disparar to shoot 29
distinguido, -a Dear Mr/Mrs (in letters) 23
distinto, -a different, distinct 20
distraer (distraigo) to distract 34
divertirse /ie/, /i/ to amuse oneself, have fun 22
dividir to share; split up, divide 14
divisar to spy, catch sight of 12
divorciado, -a divorced 21
doble,- double 8; **el doble** twice as much
doce twelve
doctor *m* doctor 27
documento document, paper 1
documento de identidad identity card 1
dólar *m* dollar 7
doler /ue/ to ache, hurt 31
dominante,- predominant 14
dominar to subdue, overpower 14; to dominate 28
domingo Sunday 28; **los domingos** (on) Sundays 24
don Mr (before first name) 10
¿dónde? where? 1; **¿de dónde?** where from? 2
dormir /ue/, /u/ to sleep 9
dorso back; on the back 7
drama *m* drama; **drama callejero** incident in the street 33
drástico, -a drastic 17
ducha shower 24
duda doubt; **sin duda** without doubt, undoubtedly 13
dueño owner 28
dulce *m* sweet
durante during 3
durar to last, go on for 4
duro, -a hard, difficult, tough 3

E

e (replaces **y** before **i-, hi-** but not **hie-**) and 13
ecología ecology 22
ecológico, -a organic 22
economía economy 28
económicamente economically 14
económico, -a economic 17
ecosistema *m* ecosystem 22
ecuación *f* equation 30
Ecuador, el Ecuador
ecuatoriano Ecuadoran 15
edad *f* age; **de mediana edad** middle-aged 6; **la Edad Media** the Middle Ages
edificio building 17
EE UU = Estados Unidos, los the United States
efectuar su entrada/salida to arrive/to depart (trains) 5
el, los (def. art. masc.) the 1
él he; (after prep.) him 4
elecciones *f pl* election 11
electricidad *f* electricity 24
eléctrico, -a electric 18
electrodomésticos *m pl* domestic/electrical appliances 30
electrónico, -a electronic 28
elevado, -a high, tall 25
ella she; (after prep.) her 3
ellos, -as they; (after prep.) them 10
embargo, sin embargo however 8
emigrante *m,f* emigrant 28
emigrar to emigrate 28
empeorar to worsen, deteriorate 28
empezar /ie/ (a + inf.) to begin, start (to do/doing) 3
empleada (female) official, employee, clerk 8
empleado (male) official, employee, clerk 6
en in, on, at; **en fin** in short 11
en seguida at once 5
enamorado, -a (de) in love (with) 20
encantado, -a delighted; (polite expr.) nice to meet you 19
encontrar /ue/ to find 10
encontrarse to find oneself, be; to meet (someone); to be found 15; to be situated 25; to be (state of health) 31
encontrarse con to meet, run across, bump into 11
enero January 12
enfermera nurse 21
enfermo, -a ill, sick 12
enfrente opposite, right in front 5
enojarse to become angry 13
enorme,- enormous, immense, huge 8
ensalada lettuce salad (with dressing) 26
entender /ie/ to understand; **entender de** to understand, know something about 32
entero, -a whole 11
entonces then, at that time; then, in that case 1

entrada entrance; admission ticket 10; starter 26
entrar to go in, enter, come in 5
entre between, among 8
entregar to hand over 6
enviar to send 14
envuelto, -a wrapped 8
época epoch, period of time 14
equipaje *m* baggage, luggage 6
equipo team; equipment; **equipo de fútbol** football team 28; **equipo de música** music centre, stereo 30
equivocarse to make a mistake, be mistaken 24; **equivocarse de número** to dial the wrong number 24
era (imperf. of **ser**) he was 8
erótico, -a erotic 28
error *m* mistake 26
es que … it's like this … 26
escalera stairs 19
esclavo male slave 14
escocés, escocesa Scottish, Scots 27
escribir to write 5
escrito (past part. of **escribir**) written 4
escrito, -a written 6
escuchar to listen to, hear 13
escuela primary school 17
escultura sculpture 18
ese, esa, eso that (there) 5
esfuerzo effort, work 25
eso sí yes, exactly; yes, of course
esos, -as those (there) 1
España Spain
español *m* Spanish (language) 16
español, -a from Spain, Spanish; Spaniard 6, 11
espárragos *m pl* asparagus 26
especial,- special, especial 8
especie *f* species 22; **una especie de** a type of 28
espera hope; **a la espera de** in the hope of 15
esperar to wait for 3; hope for 20; expect 18
espléndido, -a splendid, magnificent 27
esplendor *m* splendour 28
esposo, -a husband, wife 10, 22
esquiar to ski 21
esquina street corner 32; (outer) corner 8
estable,- stable 21
establecerse (me establezco) to establish oneself, settle 14
estación *f* station 6
estado state 2
Estados Unidos, (los) the United States 16
estallar to break out 17
estancia farm, ranch 28
estar (estoy) to be 4
estar de (+ noun) to act as (temporarily) 4
esté (pres. subj. of **estar**) 21
este *m* east
este, esta this (here) 3
estimado, -a Dear (in letters) 20
esto this (here) 8; **en esto** at this (moment); **en esto de …** in this business of …
estómago stomach 31
estos, -as these (here) 7
estrés *m* stress 11
estructura structure 28
estudiar to study 3
estupendo, -a excellent, terrific, super 26
estuvimos (pret. of **estar**) we were 3
Europa Europe 12
europeo, -a European 13
euskera *m* Basque (language) 21
evitar to avoid 11
exactitud *f* exactness, accuracy, precision 13; **con exactitud** exactly, precisely 17
examen *m* examination, exam 4
examinarse to take an exam 4
excavar to excavate 18
excelente,- excellent, superb 28
excepción *f* exception 14
excitado, -a excited, disturbed, upset 9
exigir (exijo) to demand 11
exiliarse to go into exile 28
expedición *f* expedition 12
experiencia experience 3
experto expert 18
explicación *f* explanation 18
explicar to explain 16
explorador *m* explorer 13
explorar to explore 14
explotación *f* exploitation 17
exportación *f* export 17
exportar to export 28
expulsado, -a expelled, deported 15
extender (se) /ie/ to spread, extend 14
extenso, -a widespread, extensive, vast 17
exterior *m* abroad 14
extorsionar to blackmail 15

F

fábrica factory 17
fabricar to manufacture, make 28
fácil,- easy, simple 11
fácilmente easily, readily 14
fallar to fail, let down 30
falta need 6; lack 16; **hace falta** one needs; one has to; it is necessary 6
faltar to lack 6; **no faltaba más** (polite expr.) of course, think nothing of it 19
fama fame, reputation, repute 25
familia family 3
famoso, -a famous, renowned 25
fantástico, -a fantastic, marvellous 2
farmacéutico chemist 27
farmacia chemist's 31
fauna fauna, animal life 29

favor *m* service, favour 13; **por favor** please, be so kind as to …
favorable,- favourable 17
febrero February 18
fecha date 1
felicidad *f* happiness 8
feliz,- (*pl* **felices**) happy 21
ferrocarril *m* railway 6
fértil,- fertile 28
fertilidad *f* fertility 28
festejo festivity, festival 29
fiebre *f* fever 31
fiesta festival, holiday, feast-day 12
figura figure, drawing 28
fijo, -a fixed 30
fila row; **ordenadas en filas** arranged in rows 11
filete *m* fillet 26
filmar to film, shoot a film 8
filosofía philosophy 4
fin *m* end, ending; **a fines de** (+ time expr.) at the end of 12; **al fin, por fin** in the end, finally; **al fin** at last; **en fin** in short 11
final *m* end; **al final** in the end; **a finales de** (+ time expr.) at the end of (+ time) 3
finalmente finally 12
firmar to sign 7
físico physical appearance 21
flan *m* crème caramel 26; **flan de la casa** home-made crème caramel 26
flora flora, plant life 25
fondo bottom; **en el fondo** at heart, deep down 21
fontanero plumber 24
forma way, manner; **de tal forma** in such a way 30
formado, -a formed; **formado por** composed of 25
formal,- serious, stable, correct, dependable, formal 21
formar to form, constitute 21
fortaleza fortress 28
francés, francesa French; Frenchman, Frenchwoman 2
Francia France 18
frase phrase 30
frecuente,- frequent, common 11
frenar to brake 34
fresa strawberry 26
fresco, -a fresh 26
frigorífico fridge 30
frío, -a cold 31
frito, -a (past part. of **freír /i/**) fried 26
frontera border, frontier 15
fruta fruit 22
fue (pret. of **ser** and **ir**) (s)he was; went 3
fuego fire 29
fuente *f* **de ingresos** source of income 25
fuerte,- tough, strong; hard 13
fumador *m* smoker 6
funcionar to function, go, work (of machinery) 24
fundado, -a founded 28
fútbol *m* football 28

G

gafas *f pl* glasses, spectacles 8
gamba prawn 26
gana desire; **tener gana(s) de** to want to, long to 4
ganadero, -a cattle-rearing 28
ganado livestock, cattle 28
ganar to earn; to win, gain 3
ganarse la vida to earn one's livelihood, earn a living 15
garganta throat 31
gas *m* gas 17; **con gas** fizzy, carbonated (drinks) 26
gastado, -a used up, worn out 13
gastos *m pl* expenses, costs 3
gaucho Argentinian cowboy 28
gazpacho a kind of cold soup 26
generación *f* generation 13
general *m* general 14; **en general** usually, generally 14
generalizarse to become general 30
generalmente generally 28
genial,- brilliant 30
gente *f* people 8
gigantesco, -a gigantic 32
gobernar /ie/ to rule, govern 17
gobierno government 11
golfo gulf, bay 17
golpe militar military coup 28
gracias thank you, thanks; **muchas gracias** thank you very much; **dar las gracias** to thank 6
gracioso funny; **¡qué gracioso!** how funny!, that's a good one! 32
grado degree (temperature)
gran(de),- large, big 17
grave,- serious, grave 31
gravísimo extremely serious 17
griego Greek (language) 3
griego, -a Greek 3
grifo tap 24
gritar to shout, cry out 12
guapo, -a (about people only) handsome, good-looking 4; (to people) 'sweetie', 'sweetheart' 5
guardia *m* policeman 33
guerra war 16
gustar to please, appeal to; **(no) me gusta** I (don't) like; **le gustas** (s)he likes you 4; **me gustaría** (cond.) + *inf.* I should like, would very much like to … 2
gusto taste; pleasure 19; **mal gusto** bad taste; **mucho gusto** (polite expr.) a pleasure!, pleased to meet you!

H

habano Havana cigar 27
haber to have (tense-forming auxiliary verb) 9
habitación *f* room 23; **habitación individual** single room
habitante *m* inhabitant 17
hablar to speak 16
habrá (fut. of **hay**) there will be 13
hace (of time) ... ago; **hace falta** it is necessary 6; **hace poco** a short while ago, a little while ago; **hace calor/frío** it's hot/cold (weather)
hacer (hago) to do, make 2; **haga el favor de** please be so kind as to 7; **hacer cola** to queue 2
hacia in the direction of, towards 8
hamaca hammock 11
hambre *f* (but **el hambre**) hunger; **tener hambre** to be hungry 15
hamburguesa hamburger 5
hará (fut. of **hacer**) it is going to be, will be (weather) 13; (s)he shall do, make
hasta till, until (time); right to, (space); up to; even 18
hasta pronto see you soon 5
hay there is, there are; **no hay de qué** (polite expr.) please don't mention it, not at all 19
hay que one has to, one must, it's necessary to 6
hecho (past part. of **hacer**) done, made 15
helado ice cream 26
helicóptero helicopter 15
hermana sister
hermano brother 4
hermanos *m pl* brothers and sisters 25
héroe *m* hero 14
hervir /ie/, /i/ to boil 31
hierro iron 28
higiénico, -a hygienic 24; **papel higiénico** toilet paper 24
hija daughter 3
hijo son 16
hijos *m pl* children 11
hispánico, -a Spanish, Hispanic 12
hispano, -a Spanish-American 16
Hispanoamérica Spanish America
hispanoamericano, -a Spanish-American 16
hispanohablante,- Spanish-speaking 16
histõria history, story 18
histórico, -a historic, historical 14
hizo (pret. of **hacer**) it was (weather) 3; (s)he did, made
hogar *m* home 30
hogareño, -a home, homely 21
hoja leaf; sheet of paper; form 9; **hoja de reclamación** complaints form 26
¡hola! hi!, hello! 2
holandés, holandesa Dutch 20
hombre *m* man 15; old chap 9
¡hombre! man! no, you can't mean that!, whatever next!, etc. 32
honrado, -a decent, honourable 10
hora hour 9
horario timetable 6
horno oven 26
horrible,- horrible, awful, terrible 13
hospital *m* hospital 17
hoy today 14
hoy día today, nowadays 30
hoy mismo this very day 24
hubiera, hubiese (imperf. subj. of **haber**) had 34
huelga strike 28
huerto vegetable garden, orchard 22
huésped *m* guest, visitor 24
huida escape, getaway 10
huir (huyo) to flee, escape 10
húmedo, -a damp, moist 25
humo smoke 19
humor *m* humour 21

I

iba a (+ inf.) was going to, would 11
ibérico, -a Iberian, from Iberia (old name for Spain) 26
ida y vuelta return (ticket) 6
ida single (ticket) 6
ideal,- ideal 22
identidad *f* identity; **documento de identidad** identity card 1
identificar to identify 8
iglesia church
igual,- equal, (the) same 4
igual que the same as 4
ilegal,- illegal; *m,f* illegal immigrant 15
ilegalmente illegally 15
ilusión *f* illusion, dream 15
¡imbécil! idiot!, imbecile!, fool! 34
impedir /i/ to hinder, stop, prevent 18
imperio empire 17
importación *f* import 17
importado, -a imported 14
importancia importance, significance, magnitude, weight 26
importante,- important, significant 12
importantísimo, -a very important indeed 18
importar to import, bring in 14; to be important, matter; **¿le importaría** (cond.) + inf.**?** (polite expr.) would you mind ... ing? 19; **¿qué me importa ...?** what do I care (about) ...?, does ... matter to me? 34
imposible,- impossible 15
impresionado, -a impressed 13
impreso (printed) form 6
inaugurar to inaugurate 25
inca *m* Inca 14

incansablemente tirelessly 25
incluido, -a included 26
inclusive (inv.) included, inclusive 23
incluso including, even 11
increíble,- incredible, unbelievable 13
independencia independence 14
independizarse to gain one's independence 14
India, la India 12
Indias, las the Indies, Spanish America 12
indicar to indicate, show 19
indicio sign, indication 12
indígena,- indigenous, native 28
indio Indian 13
indiscriminadamente indiscriminately 29
indispensable indispensable 30
individual,- individual, single 23
individuo individual, person 10
industria industry 17
industrial,- industrial; commercial 14
inflación *f* inflation 28
información *f* information 8
ingeniero engineer 21
ingreso income 25
inmediatamente immediately, at once 18
inmigración *f* immigration 15
inmigrante *m,f* immigrant 14
insistencia persistence, insistence 18
insistir (en) to insist (on), stress, emphasize 18
insoluble,- insoluble 30
instalar to instal, put in, lay 18
institucional,- institutional 17
instrucción *f* instruction 24
inteligente,- intelligent 21
intención *f* intention 23
intentar to try, mean to 15
intento attempt, try, go 15
interés *m* interest 22
interesante,- interesting 3
interior,- inner, interior 23
internacional,- international 25
intérprete *m* interpreter 12
interrogar to interrogate, question 10
invento invention 30
ir (voy) to go, travel 2
irse (me voy) to go away, leave 15
ir a (+ inf.) to be going to (+ inf.) 4
ir (+ pres. part.) to be ... ing 16
isla island 12
Islas Baleares, las the Balearic Islands (Majorca, Mallorca, etc.)
Islas Canarias, las the Canary Islands 4
Italia Italy 2
italiano, -a Italian 2
izquierda left(-hand side) 8; **a la izquierda (de)** to/on the left (of) 8

J

jamón *m* ham 26
jardín *m* garden 22
jefe *m* chief, leader, boss; manager 13
joven,- young 8
jóvenes,- young people
jueves *m* Thursday 10
jugar /ue/ to play; to gamble; **jugar al golf** to play golf 21; **jugar a la pelota** to play ball 11; **jugar a las cartas** to play cards
julio July 3
junio June 4
junto a beside, next to 16
juntos, -as together 20

K

kilómetro kilometre 17
kilómetro cuadrado square kilometre 17

L

la, las (def. art. fem.) the 1, 3; (dir. obj. prons. fem.) it, her; them 8, 13
lado side 7; **al lado de** at the side of, beside 10; **al otro lado de** on the other side of 8; **aquí al lado** here next door 7
ladrón *m* thief, robber 10
lago lake 17
lana wool 28
lápiz *m* (*pl* **lápices**) pencil 30
largo, -a long; tall 17
latifundio large estate 14
latinoamericano, -a Latin-American 7
lavadora washing machine 24, 30
lavavajillas *m* dishwasher 30
lazo lasso 28
le, les (indir. obj. prons.) (to) him, her, you, them 3, 6
lechuga lettuce 15
lector *m* reader 11
leer (leo) to read 9
legalmente legally 15
lejos far away; **a lo lejos** in the distance 11
lejos de (prep.) far away from; **no lejos de** not far away from 11
lengua language 14
levantar to lift, raise, erect 12
levantarse to get up, rise, get out of bed 8
leyenda legend 14
leyendo (pres. part. of **leer**) reading 9
libre,- free, vacant, unoccupied 6; **libre de compromiso** with no commitments 21
libro book 4
libro de actividades activity book, workbook 4
licor *m* liqueur, spirits 26
líder *m* leader 14
ligero, -a light; easily digested 26
limitación *f* limitation 11
limpieza cleaning 22
limpio, -a clean, neat, tidy 11

listo, -a ready, finished 30
litera bunk, berth 6
llamada telephone call/conversation 18
llamar to ring, call; call (on) 18
llamar por teléfono to ring up, make a phone call 5
llamarse to be called (name) 5
llano, -a level, flat 25
llanura plain 28
llave *f* key 9
llegada arrival 6
llegar (a) to arrive (at, in), come 2
lleno, -a (de) full (of) 11
llevar to carry 16; to take with one 10; to have with one 9; to wear 29; to live, lead (life); **llevar** (+ time expr.) to have lived, have been for (+ time) 11; **llevar** (+ pres. part. + time expr.) to be doing something (for a time) 30
llorar to cry, weep 9, 12
llover /ue/ to rain 13
lluvia rain
lo (def. art. before adjs., advs. and rel. prons) the 1
lo, los (dir. obj. prons., masc.) it 10; him; them
lo que that which, what 10
locamente insanely, madly 20
lograr to get, obtain, acquire 10; to succeed in
loro parrot 12
los (def. art., masc. pl) the 1
los que they who, those who
lucha struggle, fight, battle 14
luchar to struggle, fight 14
luego then, next, later, soon 3
lugar *m* place, spot, space; **tener lugar** to take place 10
luz *f* (*pl* **luces**) light, glow, glare 25

M

madrileño, -a from Madrid; an inhabitant of Madrid 3
madrugada early morning, dawn 18
magnífico, -a magnificent, splendid 10
maître *m* head waiter 26
maíz *m* maize 12
mal badly, poorly 9
mal(o), mala bad, ill, naughty, nasty 4; **menos mal** good job (too), just as well 9; **lo malo es que ...** the bad thing is, the worst of it is ... 11
maleta suitcase 6
mamá mummy, mum 27
mandar to order, give orders; to send, dispatch 3; to prescribe 31
mandato mandate 28
mando a distancia remote control 30
manejo handling 28
manera way, manner 11
mantel *m* tablecloth 24
mantener /ie/(mantengo) to keep 29
mantenerse /ie/ (me mantengo) to stay, keep going, remain; to maintain 17
mañana tomorrow 13; **la mañana** morning, tomorrow 8; **esta mañana** this morning 9; time + **de la mañana** (e.g. 9.00) in the morning 8; **pasado mañana** the day after tomorrow
máquina de afeitar *f* electric shaver 30
maquinaria machinery 17
mar *m* (sometimes *f*) sea, ocean 12
maravilla marvel, wonder 18
maravilloso, -a wonderful 3
marcar to dial (a number); mark, indicate 24
marchar(se) to go, proceed, set off 12
marido husband 11
marinero seaman, sailor 12
marrón,- brown 9
marroquí *m, f* Moroccan 15
Marruecos *m* Morocco 15
martes *m* Tuesday 31
marzo March 1
más more, most; plus 3
matar to kill 11
mate *m* tea made from leaves of the *mate* bush 28
matrimonio marriage, matrimony 21
mayas *m pl* Maya Indians 14
mayo May 12
mayor,- larger, older 8; **la segunda mayor** the second biggest 15
mayoría, la most, the majority 14
me me 2
mediado half; **a mediados de** (+ time expr.) in the middle of (+ time) 12
mediano, -a medium 6
médico doctor 12; **médico de cabecera** general practitioner 27
medida measurement; **tomar medidas** to take steps 11
medio means, resource 17
medio, -a half; average, typical 9
medio ambiente *m* environment 22
mejilla cheek 18
mejor,- better, best 15
mejorar to improve, become better 14
melancólico, -a melancholy, sad 28
mencionar to mention 27
menos less, fewer; least; minus 3 **menos de** 5 (+ number less than) (+ number) 3
menos mal thank goodness, just as well 9
mensaje *m* message 3
menú *m* menu 26
mercado market 14
merluza hake 26
mes *m* month 4
mesa table 8
meseta plateau, high plain 17
mestizo mestizo (of mixed native Indian and white races) 17

meteorológico, -a meteorological, weather 13
metro metre 3; underground, tube
mexicano, -a (also **mejicano** (Sp.)) Mexican 7
México (also **Méjico** (Sp.)) Mexico 2
México D.F. (D.F. = Distrito Federal) Mexico City 17
mi, -s my 1
mí (after prep.) me 13
microondas *m* microwave 30
miedo fear, fright, terror; **tener miedo** to be afraid, be frightened 11
mientras while 6
Migración Department of Immigration 15
migrante *m,f* migrant, immigrant 15
mil thousand 1
miles de thousands of 17
militar,- military 28
millón *m* million 32
mina mine, pit 14
mineral *m* mineral 17
mínimo minimum 26
minuto minute 5; **a los pocos minutos** in/after a few minutes
mío, -a; míos, -as my; mine 19
mirar to look (at), examine 11; **mire (usted)**, **mira (tú)** look! look at this!, listen; you see … 6; **mirar a** to look out onto/over 28
mismo, -a (que) the same (as); himself, herself 12
misterioso, -a mysterious, puzzling 18
mochila rucksack, back-pack 9
moderno, -a modern 17
módico, -a moderate, fair, reasonable 24
molestar to disturb, bother, upset, inconvenience 19
momento moment 3
moneda coin 7
monedero purse 9
montaña mountain 17
montañoso, -a mountainous 17
montar a caballo to ride a horse 28
montón *m* lots, pile, heap 3
morir /ue/, /u/ to die; **morir de hambre** to starve to death 15
mortalidad *f* ; **mortalidad infantil** infant mortality 17
mostrador *m* bar counter, shop counter 8
motivo motif 14
moto(cicleta) *f* motor-cycle 4
moto de agua *f* jet ski 11
motorista *m,f* motor-cyclist 34
movil *m* mobile (phone) 30
muchacha girl 6
muchacho boy, youth
muchísimas ganas great desire, longing 4
mucho (adv.) much 6
mucho, -a (+ noun) a lot of 6
muchos, -as many 15
muerte *f* death 12
mujer *f* woman 15; wife
multa fine; **ponerle a alguien una multa** to give someone a fine 33
mundo world; **todo el mundo** everyone, everybody 12
mural *m* mural 17
murió (pret. of **morir**) he died 12
música clásica classical music 21
muy very 2; **no muy** not especially 27

N

nacer (nazco) to be born 28
nacido, -a born 14
nacimiento birth 1
nación *f* nation, people 14
nacional,- national 6
nacionalización *f* nationalization 17
nada nothing, not anything; **de nada** you're welcome, don't mention it, not at all 5; **nada más** only 15
nadar to swim 11
nadie no one, not anyone, nobody 11
nata cream 26
natillas *f pl* custard 26
naturaleza nature 11
naturalmente naturally 10
Navidad *f* Christmas 11; **por Navidad** at Christmas (time)
necesario, -a necessary 12
necesitar to need 11
negro, -a black 14
ni not (a single) 3; **no sé ni una palabra** I don't know a single word 3
nieve *f* snow 25
ningún/ninguno, -a no one, not anyone; nothing, not anything; none, not any 18
niña (small) child, girl 12
niño (small) child, boy 8
niños *m pl* (small) children
nivel *m* level, standard; **nivel del mar** sea level 17
no no, not 1
noble,- noble, aristocratic; nobleman, aristocrat 12
noche *f* night; **esta noche** tonight; **por la noche** during the night 10; **de noche** at/by night 15
nombre *m* name 1
norma norm, regulation 29
norte north 6; **el norte (de)** the northern part (of) 15
norteamericano, -a from North America, North-American 13
nos us 3
nosotros, -as we; (after prep.) us 13
noticia (piece of) news 18
novecientos, -as nine hundred 1
noventa ninety
noviembre *m* November 8

novio boyfriend, fiancé 11
novios *m pl* boyfriend and girlfriend, engaged couple 4
nuestro, -a; -os, -as our 11
nuevamente again, once more 28
Nueva York New York 13
nueve nine
nuevo, -a new; **de nuevo** again 11
Nuevo México New Mexico 16
número number 6
numeroso, -a numerous 25
nunca never, not ever 13

O

o (**ó** between numbers) or; **o bien** or rather 4
objeto object, article 32
obligar (a alguien a hacer algo) to force (someone to do something) 28
obra work (of art), work; road works (*pl*) 17
obrero worker, labourer 16
obrero, -a working-class 16
observar to watch 25
observatorio observatory 25
obtener /ie/ (obtengo) to obtain 6
ocasión *f* occasion 32
occidental,- western 29
octubre October 12
ocurrir to occur, happen 9
oeste west; **el oeste** the west, western part 12
ofrecer (ofrezco) to offer 26
oficial,- official 16
oficina office 24
¡oiga! (**usted** imp. of **oír**) listen!, hello there!, excuse me! (to attract attention) 8
oír (**oigo, oyes,** etc.) to hear 5
olvidar to forget 1
operación operation 15
oportunidad *f* chance, opportunity 23; **aprovechar la oportunidad** to take the opportunity 23
ordenado, -a arranged 11
ordenador *m* computer 4
ordenar to order; to put in order 11; to program (pun) 30
organismo institution 25
organizado, -a organized 3
organización *f* organization 22
organizar to organize 22
orgullo pride 16
orgulloso, -a proud 16
origen *m* origin 25; from 6
original,- original 28
originalmente originally 14
oro gold 12
os you (*pl*) 27
oscuro, -a dark (unlit) 9
otro, -a another, one more 1
otros, -as other 12
¡oye! (**tú** imp. of **oír**) listen!, hello there!, excuse me! (to attract attention) 16

P

paciencia patience 21
paciente *m,f* patient 31
pacífico, -a peaceful 13
padres *m pl* parents 3
paella paella (rice and seafood dish) 26
pagar to pay (for) 32
país *m* country, land; area, region 12
pájaro bird 12
palabra word 3
palma palm leaf 13
palmera palm tree 24
pampa pampa, grassy plain, prairie 28
Pampas, las the Pampas in Argentina 28
paño duster, cloth; **paño de cocina** kitchen cloth, tea towel 24
papel *m* paper 8; document; **sin papeles** people without documents 15; **papel higiénico** toilet paper 24
paquete *m* packet, parcel 6
par *m* pair; **un par de** a couple of 24
para for, to, in order to (purpose, destination) 3; **para que** so that 21
parada stop (for bus or train) 6
paraíso paradise 11
pararse to stop 19
parecer (parezco) to seem, appear, look like/as if 4
parecido, -a like, alike, similar 32
pareja pair, couple 6
paro unemployment 14
parte *f* part; **gran parte de** a large part of; **por todas partes** everywhere 12
particular *m* point, matter, detail; **sin otro particular** with nothing further to add (in business letters) 23
partido party (political) 17
partir to depart 13; **a partir de** from … onwards 28
pasaporte *m* passport 9
pasado the past 14
pasar to spend, stay, pass; to happen; to go over, cross; to enter 30; **¿qué te pasa?** what's up with you?, what's the matter? 9; **pasarlo bien** to have a good time 2; **¡que lo pase (usted) bien!, ¡que lo pases (tú) bien!** have a good time!, have fun! 5
paseo walk; avenue
paso step 8; **a pocos pasos** at a short distance 18
pastilla tablet, pill 31
pata foot, leg of animal; **tener mala pata** to have bad luck 4
patata potato 12
patio patio, inner courtyard 23

pedir /i/ (algo a alguien) to ask (someone for something); request (something of someone) 13
pelo hair 8
pelota ball 11
pensar /ie/ to think, believe 12
peor,- worse; **cada vez peor** worse and worse 28
pequeñito, -a (dim.) terribly small, tiny 8
pequeño, -a small, little 11
percha clothes/coat-hanger 24
perder /ie/ to lose 9
perdonar to forgive, excuse 19
periódico newspaper 9
periodista *m,f* journalist 16
período period, phase, era 14
permiso permission, permit 1
permiso de conducir driving licence 1
permitir to allow, permit 20
pero but 3
perro dog 23
persona person 8
personalmente personally 29
Perú, (el) Peru 14
pervivir to live on, survive 12
pesadilla nightmare 11
pesar to weigh 14; **a pesar de** despite, in spite of
pesca fishing; **pesca submarina** underwater fishing 29
pescadito (dim. of **pescado**) little fish 29
pescado fish (dead, considered as food) 26
peso peso (monetary unit in several Sp. Am. countries) 7
petróleo petroleum, oil 17
petrolífero oil-bearing, oil-producing 17
pico point, tip; **es la una y pico** it's just gone one o'clock 19
pie *m* foot; **a pie** on foot 22
piedra stone 14
piel *f* skin, hide 28
pierna leg 15
pila battery; baptismal font 13
piso flat, apartment 10
pistola pistol 8
placer *m* pleasure 29
plancha iron 30; hotplate; **a la plancha** grilled on the hotplate 26
plano town map, map 24
plano, -a flat 14
planta plant, crop 22
plástico plastic 8
plata silver 14
plátano banana 25
playa beach 3
plaza square, market square, open space; place 6; bullring
Plaza Mayor, la Main Square 18
población *f* population; village, town, community 10
poblado, -a populated, inhabited 17
pobre,- poor 8
poco little, not much; a short time 4; **un poco** a little, a bit; **un poco de** (+ noun) a little, a little bit of ...; **dentro de poco** in a little while, shortly; **poco después** shortly, soon afterwards 8
pocos, -as few 17
poder /ue/ to be able to 8
poder *m* power; **estar en (el) poder de** to be in the power of, be under the sovereignty of 14
poderoso, -a powerful 15
podré (fut. of **poder**) I shall be able to 13
policía *m* policeman 9
policía *f* the police, police force 8
política politics 14
pollo chicken 26
poncho poncho, Indian blanket 28
poner (pongo) to put, place, lay; **pone** it states, it says 26
ponerse (me pongo) to become 4; to put on (clothing)
popular popular; folk, of the people 8
poquito (dim. of **poco**) a little bit 4
por by; through; via; because of; for; in exchange for; on 5; **por ciento** *m* per cent; **por esto, por eso** therefore, because of this, for this reason; **por favor** please, be so kind as to ..., would you mind ...; **por fin** in the end, finally 3; **por teléfono** by telephone 12; **por tierra** by land 14
¿por qué? why? 26
porque because 3
portugués, portuguesa Portuguese 14
posible,- possible; **lo antes posible** as soon as possible 23
postre *m* dessert, sweet course, pudding 26
prácticamente practically, almost 14
precio price 6
precisión *f* precision, exactness 13
predicción *f* prediction, forecast 13
preferente business (class) 6
preferir /ie/, /i/ to prefer 2
pregunta question 6
preguntar to question, ask a question 8
prensa, la (the) press 18
preocuparse to worry, be anxious 5
preparar to prepare, make ready 4
presencia presence, attendance 18
presentar to present, introduce (a person to another) 18
presentarse to show up, be there 18; to take an exam 4
preservar to protect 22
presidente president 18

prestar to lend 18; **prestar atención (a)** to pay attention (to) 21
prever to forecast 17
prima female cousin
primero first, firstly 6
primer(o), -a first, the first 6
primo male cousin 2
principal,- main 25
principio beginning, start; **a principios de** (+ time expr.) at the beginning of (+ time) 3
prisa hurry, haste 5; **tener prisa** to be in a hurry 5
privilegiado, -a privileged 25
problema *m* problem 11
proceder de to come from 6
producir (produzco) to produce, yield, give; cause, bring about 14
producto químico chemical product 17
productor *m* producer 28
profesión *f* profession, occupation 1
profesor *m* professor 20
programa *m* programme 19
programador *m* programmer 1
prohibido, -a forbidden, prohibited 5
prohibir to forbid, prohibit 5
prometer to promise 12
pronosticar to predict, forecast 13
pronto soon; **ahora pronto** now 24; **de pronto** suddenly 9; **hasta pronto** see you soon 5
propósito: a propósito de talking of ..., speaking of ... 4
prosperidad *f* prosperity 28
protegido, a protected 29
protestar to protest, object 12
proximidad *f* proximity, nearness, closeness 12
próximo, -a next 8
pta = peseta (Sp. monetary unit before 2002)
público, el (the) public 8
pudo (pret. of **poder**) it could, was able to 8
pueblecito (dim.) small village 15
pueblo people; village, town, community 12
puerta door, entrance 8
puerto harbour 12
puertorriqueño, -a Puerto Rican 16
pues: pues no sé as I don't know 20
puesto (past part. of **poner**) put, placed, put on 4
pulpo octopus 26
pulsar to press, touch, tap (button, key) 6
¡pum! bang! crash! 34
puñetas: ¿qué puñetas ...? What the hell ...? 34
puro cigar 27
puse (pret. of **poner**) I placed, put 9

Q

que that/which (sometimes not translated), who; for, because 3
¿qué? which? what? 1
quechuas *m pl* Indian people in the Andes 14
quedar to remain, be left 6
quedarse to stay (behind), stop where one is, remain 4
quedarse con (algo) to keep (something) 27
quemar to burn
querer /ie/ to want, wish, want to have, wish for; love, like 6; **querer decir** to mean 5
querido, -a dear; Dear (in letters) 4; darling 5
¿quién, -es? who? 17
químico chemical 17
quisiera (imperf. subj. of **querer**) I should like 7
quiso (pret. of **querer**) (s)he wanted 18
quizá(s) perhaps, maybe 2

R

ración *f* portion 26
radio *f* radio 13
radio despertador *f* radio alarm 30
radio transistor *f* transistor radio 13
raíz *f* (*pl* **raíces**) root 16
rama branch 12
ramo bouquet, bunch 10
rape *m* angler fish 26
rápidamente quickly, rapidly 14
rápido quick, fast, rapid 5
raro, -a strange, odd; rare, unusual 22
rastro flea-market 32
rato moment, (a) while, period of time 6
razón *f* reason; right, fairness; **tener razón** to be right 26
reaccionar to react 8
realidad *f* reality; **en realidad** in actual fact 18
realmente really, actually
rebelarse to rebel, rise, revolt 14
recepción *f* reception 23
receta recipe; prescription 31
recibir to receive, be given 4
reciente,- recent 25
reclamación *f* claim; complaint 26
reclamar to demand, claim 17
recoger (recojo) to fetch, bring, pick up, collect 9
recomendar /ie/ to recommend 20
reconocer (reconozco) to recognize; to admit 34
recordar /ue/ to remember 24
recorte *m* newspaper cutting 10
recuerdo souvenir 29
recurso resource 17
red *f* net, network 6
redondo, -a round 12
refinería refinery 17

reforma reform 17
regalar to give (as a present) 27
regalo gift, present 27; **regalo de Navidad** Christmas present 27
régimen *m* (*pl* **regímenes**) regime, rule 28
región *f* region, area 13
regresar to return, go/come back 11
regular,- steady 25
reincorporarse to return to work 11
relación *f* relationship 21
relacionarse to make contact, get to know 21
relativamente relatively 17
religión *f* religion 14
religioso, -a religious 29
rellenar to fill in 6
reloj *m* clock, watch 19
remirar to look over again, to examine closely 18
repartido, -a distributed, divided 14
repatriado, -a repatriated, sent back to native country 15
repente, de repente suddenly 9
represión *f* repression 28
república republic 18
res *f* beast; **reses** *pl* cattle **28**
reserva reserve, stock; booking, reservation 23
reservar to reserve, book 6
resolver /ue/ to solve 14
respetar to respect 22
respete (pres. subj. of **respetar**) respect 29
responder to reply, respond 20
respuesta reply 3
restaurante *m* restaurant 16
resto rest, remainder 14
resulta que it so happens that 24; it turns out that
resultar to become, prove (to be), result (in) 30
retornar to return, send back 15
retraso delay 5; **traer retraso** to be delayed 5
revolución *f* revolution 14
revolucionario, -a revolutionary 17
revuelto, -a mixed up; **huevos revueltos** scrambled eggs 26
rey *m* king; **los Reyes Católicos** the Catholic Kings, Catholic King and Queen (Ferdinand and Isabella) 12
rico, -a (en) rich (in) 17
rincón *m* (inner) corner 26
río river 22
riqueza wealth, richness 14
robar (algo a alguien) to steal (something from someone) 9
robo theft, robbery 10
rodeado, -a (de) surrounded (by/with) 30
rogar /ue/ to ask, beg 23
rollo roll 24
romano, -a Roman 21

ropa clothes; linen 9
rosa rose 10
rosa,- pink 18
rubio, -a fair, blond (of hair, person) 8

S

sábado *m* Saturday 32
sábana sheet 24
saber to know 2; be able = know how to 11
sacar to take out, get, get hold of 8
saco sack, bag 9
saco de dormir sleeping-bag 9
sala de espera waiting room 9
salado, -a salted, salty 26
salero salt cellar 26
salida departure (train) 5; exit, way out 10; leaving 13
salir (salgo) to go out, come out; to leave 5; to set off 9
salir (hacia, para) to leave (for), depart (for) 12
salir bien (a alguien) to turn out well (for someone) 4
salsa sauce 26
saltar to jump 34
saludar to greet 23
saludo greeting, good wishes 5
salvar to save, rescue 13
salvo except 29
sandalia sandal 9
sé (pres. of **saber**) I know 2
se - self (reflexive); him, her, it, you, them (replacing **le, les**); English 'one' or passive (impers.) 1
sea (pres. subj. of **ser**) be 21
secador de pelo *m* hairdryer 30
sección *f* section, department 21
seco, -a dry, arid 17
secreto secret 13
secuestrar to kidnap 15
seguida: en seguida at once, immediately 5
seguir /i/ (sigo) to keep on; **sigue todo derecho** keep straight on 8
seguir (+ pres. part.) to continue to (+ inf.) 6
segundo, -a second 1
seguro, -a certain, sure; safe 4
selva jungle, forest 13
semáforo traffic light; **saltarse los semáforos** to jump the lights 34
semana week 3
semilla seed 12
senderismo trekking 29
sendero path 22
sensacional,- sensational 32
sentado, -a sitting, seated 16
sentarse /ie/ to sit down 9
sentido sense, feeling 21
sentido del humor sense of humour 21
sentir /ie/, /i/ to be sorry, regret 1
sentirse /ie/, /i/ to feel (ill/well, lonely, etc.) 21

señal *f* sign 5
señor *m* gentleman, man, Mr 6
señora lady, wife, Mrs 6
señorita young lady, Miss 9
septiembre (also **setiembre**) September 4
ser (soy) to be 1
serie *f* series 14
serio, -a reliable, trustworthy 21
servicio service; service charge 26
servicios, los public toilets, conveniences 19; facilities 24
servilleta napkin 8
servir /i/ to serve, be of use; **no sirve** it's no good 26
seta mushroom 29
si if 6
sí yes 5
sido (past part. of **ser**) been 2
siempre always 9
siento (pres. of **sentir**); **lo siento** I'm sorry; unfortunately 1
siglo century 14
significar to mean 5
sigue (seguir) (+ pres. part.) continues to (+inf.), goes on … ing 6
siguiente,- following, next; **al día siguiente** the next day 10
silla chair
símbolo symbol 28
simpático, -a likeable, pleasant, nice 13
sin (prep.) without; **sin embargo** however 17
sinceridad *f* honesty, sincerity 21
sinvergüenza *m,f* rotter, scoundrel, shameless person 27
sistema *m* system 17
sitio place, location 20
situación *f* situation, position 28
situado, -a situated 17
sobre on, on top of, upon 6; over, above about, regarding; about, roughly 5
social,- social 14
sociedad *f* society, community 14
sol *m* sun 3
soldado soldier 12
soledad *f* loneliness, solitude 21
solicitar to request, apply for 6
solo, -a alone, solitary; single 3
sólo only 6
solomillo fillet steak 26
soltura fluency, ease 16; **con mucha soltura** very freely, fluently 16
solucionar to find a solution to 11
sombrero hat, sombrero 28
someter to overcome, conquer 14
somos (pres. of **ser**) we are 11
son (pres. of **ser**) that will be = it costs 6
sonar /ue/ to sound, ring 30
sonreír /i/ (sonrío) to smile 8
sonriendo smiling 6
sopa soup 26
sorber to suck up; to sip 28
sorpresa astonishment 10; surprise
soso, -a tasteless 26
su, -s his, her, its, their, your 1
subir to go up, come up; get in (car), get on (bus, train) 24
suceder to happen 27
sucursal *f* branch (of store, office, bank, etc.) 8
sueldo salary 22
suelo floor, ground 18
sueño dream 14
suerte *f* luck, good fortune 9; fate, destiny 28; **por suerte** fortunately, as luck would have it 34
Suiza Switzerland 4
superficie *f* surface, area 17
supermercado supermarket 24
suplemento supplement, additional charge 6
supieron (past subj. of **saber**) they knew 28
suponer (supongo) to suppose 43
supuesto: por supuesto naturally, of course 32
sur *m* south; **al sur de** to the south of 3
surrealista,- surrealist 32
surtido selection; **surtido ibérico** selection of Spanish sausage 26
sus its, his, her, your, their 8
suspender to fail an exam 4; to stop, refrain from
suyo, -a; -os, -as his, hers, its; theirs; yours 19

T

tabaco tobacco 12
tal such; **tal como** just as 13; **¿Y qué tal …?** And how is/was …? 2
Talgo, el express train in Spain 6
talla size (clothes); carving; sculpture 18
taller *m* factory workshop 21
tamaño size 29
también also 2
tampoco neither, not … either; **ni tampoco** and neither 15
tan so 8
tango tango (dance) 28
tanto so much 9
tanto, -a; -os, -as (+ noun) so much; so many; **tanto … como** as much … as 29; **no es para tanto** it's not as bad as all that 9
tardar to take a long time, be long 24; to be late; to delay; to hang back 6
tardar en to be slow to 4
tarde late; too late 9
tarde *f* afternoon, evening; **buenas tardes** good afternoon/evening 24
tarjeta postcard 4
tarjeta interrail inter-rail card 4

tatarabuelos *m pl* great-great-grandparents 30
taxi *m* taxi, cab 2
taxista *m* taxi driver 34
taza cup
te you (informal sing.) 2
té tea 28
teatro theatre 10
tecla key (computer, typewriter, piano) 6
tecnología technology 30
tecnológico, -a technological 28
tejado roof 13
teléfono telephone 5
televisión *f* television, telly, TV 18
televisor *m* television set
tema *m* topic, subject 4
temperatura temperature 25
tempestad *f* storm 13
templado, -a mild, temperate 25
temprano early 12
tendrás que (fut. of **tener que**) you'll have to, you'll need to 13
tener /ie/ (tengo) to have, have got, possess 1; **tener lugar** to take place 24; **tener que** (+inf.) to be forced to, have to; **tener suerte** to be lucky, in luck 9
¡tenga! here you are! 6
tercer(o), -a third 1
terminar (de) to stop (... ing); to finish; to end 18
ternera veal 26
terrateniente *m* landowner 17
terreno piece of land; **ganar terreno** to gain ground 16
terrible,- terrible, frightful, horrible 9
territorio territory, area 16
testigo witness 10
texto text 16
ti (after prep.) you (informal sing.) 13
tiempo time 2; weather 3; **hace buen tiempo** it's lovely/fine weather 13; **hace mal tiempo** it's bad/foul weather 13
tienda shop, store 16
tierra soil, earth; land 16; homeland; the Earth, the globe; **por tierra** by land, overland 12
tierras *f pl* areas 25
tinto coloured; **vino tinto** (Sp.) red wine 26
típico, -a typical, characteristic 14
tipo type 22
tirar to throw 29
toalla towel 24
tocar to touch; to play (instrument)
tocarle a alguien to be someone's turn; **me toca a mí** it's my turn 13
todas partes everywhere 30
todavía still, yet 3
todo, -a; -os, -as all, whole, every 3; **sobre todo** first and foremost, above all, primarily 4; **todo lo que** all that ... 10
tomar to take; to eat, drink 2; **tomar medidas** to take steps 11
tomate *m* tomato 12
tonelada ton 14
torcer /ue/ (tuerzo) to twist, bend; turn 8
tostadora *f* toaster 30
total *m* total; **en total** totally, all in all, in short 6
totalmente totally, wholly 11
trabajador *m* worker, workman 18
trabajar to work 14
trabajo work 10
tradicional,- traditional 25
traer (traigo) to bring, fetch, carry, take with one 5; **traer retraso** to be late (trains) 5
tráfico traffic 11
trágico, -a tragic, sorrowful 28
traído (past part. of **traer**) brought 27
trajo (pret. of **traer**) he/she brought 12
tranquilo, -a quiet, tranquil 11
transmitir to transmit, pass on, hand down 13
transparente,- transparent, clear 11
tras (prep.) after 28
trasladarse to move (house), change (abode) 14
tratar (de) to try (to) 18
tratarse de to be about, concern 20
trato agreement, deal 32; **trato hecho** agreed, it's a deal! 32
trayecto journey 6
tren *m* train 5
tribu *f* tribe 13
trigo wheat 12
tripulación *f* crew 12
triste,- sad, dismal, sorrowful 15
tropezar con to bump into, run into; come up against 18
tropical,- tropical 22
trucha trout 26
tu, -s your (informal sing.) 4
tú you (informal sing.) 5
tuerce (pres. of **torcer**) turn 8
turismo tourism; saloon car 10
turista *m,f* tourist; *adj.* standard, economy 6
turrón *m* kind of nougat (made from almonds and honey) 27
tuve (pret. of **tener**) I had 4

U

últimamente lately, during the last few days 4
último, -a latest, last 3
una a, an, one 3
uno one (impers. pron.) 16
un(o) a, an, one 2
uni *f* (dim. of **universidad**) university 4

único, -a one and only 3
universidad *f* university 25
universo universe 25
unos, -as some; approximately, roughly, about 8
urbano, -a urban 11
urbanización *f* development 24
usado, -a used 24; second-hand 32
usar to use, make use of 30
uso use 24
usted, -es you (formal) 1; **a usted** thanks!, thank you, I should be thanking you 19
utilizar to use, utilize 10

V

va (pres. of **ir**): **va a** (+ inf.) is going to (+ inf.) 4
vaca cow 12
vacaciones *f pl* holidays 2; **estar de vacaciones** to have holidays, be on holiday 2; **ir de vacaciones** to go on holiday
vacío, -a empty, vacant 10
vagón *m* (railway) carriage, coach 5
vainilla vanilla 12
vale, vale O.K., right, sure 5; all right, that's enough
valor *m* value, worth 9
vamos (pres. of **ir**) we go; come now; **vamos a ver** let's see 1
variado, -a varied 25
varios, -as several, various 10
vas (pres. of **ir**): **vas a** (+ inf.) you are going to (+ inf.) 15
¡vaya! (imp. of **ir**) go 7; oh! dear me! 7; well!; oh, I say!
¡vaya ...! what a ...! 34
vayamos (pres. subj. of **ir**) we go 20
veamos (pres. sub. of **ver**) : **que nos veamos** that we see each other 20
veces plural of **vez**
vecino neighbour 15
veda close season 29
vehículo vehicle, car 10
veinte twenty
velocidad *f* speed 6
vendedor *m* salesman, vendor 32
vender to sell 32
vendrán (fut. of **venir**) they will/are going to come 13
venezolano, -a Venezuelan 14
venir /ie/ (vengo) to come 2
ventana window
ventanilla (dim.) window (bank, booking office) 6
ver to see; to meet 4; **a ver (si) ...** let's see, we'll see (if) ...
verse to see one another; to meet 20
verano summer 3
verdad *f* truth 3
verdadero, -a true, real 9
verduras (green) vegetables 22
vergüenza shame 9; **sentir vergüenza** to feel ashamed 11
vestido, -a wearing 28
vez *f* (*pl* **veces**) (at a) time 3; **a veces** sometimes 28; **cada vez** every time 13; **otra vez** another time, again 3; **algunas veces** a few times 20; **tal vez** perhaps 30
vi (pret. of **ver**) I saw
vía (railway) track 5
viajar to travel 16
viaje *m* journey 2; **¡buen viaje!** have a good journey!, bon voyage! 2; **viaje organizado** organized tour 3
vida life 11
vida hogareña home-loving 21
viejo, -a old 13
viernes *m* Friday 8
vino (pret. of **venir**) he came 4
vino wine 26
vino tinto (Sp.) red wine 26
vio (pret. of **ver**) (s)he saw 8
violencia violence, force 28
violentísimo, -a extremely violent 17
visitar to visit 16
vista gaze, sight; view 24
visto (past. part. of **ver**) seen 4
viva (pres. subj. of **vivir**) live 21
vivienda housing 14; place to live 22
vivir to live; to experience 28
vizcaína: a la vizcaína Biscay style 26
Vizcaya Basque province in northern Spain 8
volcánico, -a volcanic 25
voluntario, -a voluntary 22
volver /ue/ to return, go back, come back 13; **volver corriendo** to run back, to hurry back 9; **volver a** (+ inf.) to do something again 4; **volver a verte** to see/meet you again 4
vosotros, -as you (informal pl.)
voz *f* (*pl* **voces**) voice 18
vuelto (past part. of **volver**) returned, come back 4
vuestro, -a; -os, -as your, yours (informal pl.)

W

whisky whisky 27

Y

y and 9
ya now; already; surely 15; **ya no** no longer 9
¡ya! right!, now I see/understand!
yacimiento deposit; (oil) field 17
yo I 3

Z

zapato shoe
zona zone, area 17

Transcripts

4E

Una llamada telefónica

◆ ¡Diga!
❍ Hola, Eva.
◆ ¿Eres Julia? ¡Qué sorpresa! ¿Cómo te ha ido el examen?
❍ Estupendo, bueno, quiero decir que aprobé; justo, pero aprobé.
◆ Me alegro mucho. ¿Y qué vas a estudiar?
❍ Economía. Oye, no puedo hablar mucho rato porque te llamo desde una cabina y sólo me quedan dos monedas. ¿Sabes a quién he visto? ¡A Paco! Me ha dicho que va a hacer un viaje por el norte de España con unos amigos y, claro, le gustaría mucho verte. Le he dado tu número de teléfono.
◆ ¡Qué alegría! ¿Cuándo sale de Madrid?
❍ Creo que dentro de una semana.
◆ En tren, supongo.
❍ No, han alquilado un coche. Oye, ya tengo que colgar, porque se me han acabado las monedas. Adiós, Eva, y recuerdos.
◆ Igualmente y muchas gracias por haber llamado.

5A

1 ¡ATENCIÓN! ¡ATENCIÓN! El tren Talgo procedente de BARCELONA está en estos momentos efectuando su ENTRADA por la vía 2.
2 ¡ATENCIÓN! ¡ATENCIÓN! El tren Costa Vasca procedente de BILBAO efectuará su ENTRADA en la ESTACIÓN a las 14 horas 46 minutos, con un retraso de siete minutos sobre su hora prevista.
3 ¡ATENCIÓN! ¡ATENCIÓN! El tren AVE con destino a VALENCIA con parada en Atocha y Albacete, estacionado en la vía 3, va a efectuar en breves momentos su SALIDA.

6K

En la estación de Chamartín

◆ ¿Y usted, señora?
❍ ¿A qué hora sale el tren de la noche para Bilbao?
◆ Sale a las 22.45.
❍ ¿Tiene coche-cama o literas?
◆ Sólo tiene camas.
❍ Pues deme un billete de ida con cama, por favor.
◆ ¿Para hoy?
❍ Ay, no, perdón, es para el 27. ¿Cuánto es?
◆ A ver ... 35,50, más la cama 16,00 ... Son 51,50€ en total.
❍ ¿Tan caro es? Bueno, ¿puedo pagar con cheque?
◆ No, lo siento ... Pero con tarjeta de crédito sí.
❍ Ah no, yo tarjetas de esas no uso. Entonces tengo que ir al banco a sacar dinero. ¿Puede reservarme el billete, por favor? Vuelvo en seguida.
◆ Muy bien. Tiene usted un banco aquí mismo en la estación. Al fondo a la derecha.
❍ Muchas gracias. Ya vuelvo.
◆ De nada, señora.

10D

Robo de un cuadro en Pamplona

PAMPLONA, jueves (Agencia Efe): Ayer por la mañana, una joven de unos 25 años entró en el Museo de Arte Moderno de Pamplona y se llevó el famoso cuadro «Campo verde» del pintor catalán Miguel Villá.

La policía sabe que la joven fue en coche de Pamplona a Bilbao. Allí fue al aeropuerto y compró un billete para Madrid. Pagó el billete al contado (135,23 euros). Tomó el vuelo de las 10.10.

Llegó al aeropuerto de Madrid Barajas a las 11.15. En Barajas tomó un avión a Málaga y llegó a las 13.35. La policía sabe también que la joven tomó un taxi en el aeropuerto de Málaga.

Esta tarde la policía va a hablar con el taxista que la llevó.

12A

La vida de Cristóbal Colón

Cristóbal Colón nació probablemente en Génova (Italia), en 1451. De joven trabajó unos años con su padre, pero cuando los negocios de este empezaron a ir mal, Colón salió de Génova y navegó por el Mediterráneo y por el Atlántico.

Hacia 1475 Colón llegó a Portugal. Allí estudió la posibilidad de encontrar un camino más corto y más rápido a la India. Colón pensaba que la tierra era redonda y no plana y que se podía ir allá por el Atlántico, sin tener que pasar por el sur de África. Presentó su idea al rey de Portugal. Pero este no quiso financiar el proyecto.

En 1478 fue Colón a España para pedir la ayuda de los Reyes Católicos, Fernando e Isabel. Pero por aquella época los Reyes estaban ocupados con la guerra contra los moros y no pudieron ayudarle.

Colón pasó siete años siguiendo a la corte de los Reyes Católicos y esperando su ayuda. Finalmente los Reyes decidieron financiar su expedición.

13H

¿Qué tiempo hará?

Mañana va a empeorar el tiempo y el cielo va a estar cubierto en el norte de España. Lloverá en Galicia y en Cataluña. En el resto del norte no va a haber precipitaciones, pero el cielo va a estar cubierto. En el centro y sur aumentará unos grados la temperatura, sobre todo en Extremadura.

Pasado mañana el cielo estará despejado en Andalucía y Canarias. En el resto del país habrá nubosidad variable, pero sin precipitaciones.

16F

Gracias a la vida

1	tanto	7	las palabras
2	negro	8	amigo
3	cielo	9	tanto
4	hombre	10	noche
5	tanto	11	la voz
6	abecedario	12	tanto

13	mis pies	17	tanto
14	anduve	18	la risa
15	montañas	19	materiales
16	calle	20	el canto

17D

Esta vez iremos a México

Alicia ¿Adónde vais a ir este verano? ¿Otra vez a Italia?

Jorge No. Esta vez iremos a México. Es un país fascinante. Imagínate, más de la mitad de la población es india.

Alicia Qué interesante, ¿verdad? Son descendientes de los incas, ¿no?

Jorge Sí, pero los tiempos han cambiado, no creas. Hoy México es un país con industria, aunque muchos mexicanos trabajan todavía en la agricultura. El único problema para el futuro es que hay pocos jóvenes.

Alicia Sí, y para la industria los mexicanos tienen que importar minerales y, claro, petróleo. Suerte que tienen plata.

Jorge ¿Quieres decir dinero?

Alicia No, no, plata, el metal. Oye, ¿no es mexicano Zapata?

Jorge Sí, como Pancho Villa. Los dos lucharon por la independencia de México en 1810.

Alicia Y el partido que está gobernando desde 1920 ó 1930 es el PRI, ¿no?

Jorge Sí, eso creo.

Alicia Bueno, no importa. A ver si me mandas una postal.

Jorge No una sola, varias, mujer.

18G

Una canción mexicana

21E

Soy una chica de 27 años.

Soy una chica de 27 años. Soy soltera y tengo una niña de un año y medio. Tengo un buen trabajo y soy económicamente independiente, pero me siento muy sola. Quiero encontrar un hombre bueno que me ayude con la niña y que sea un buen padre para ella. No me importa su físico, pero deseo que no tenga más de 35 años. Es necesario que viva en Bilbao o cerca, donde yo vivo con mi hija. Es importante que hable euskera, ya que quiero que mi hija lo hable también. Espero que me conteste un hombre cariñoso y comprensivo y … que me conteste pronto.

22D

La familia de Eva

◆ Pues sí, mira … Sara es arquitecta igual que su padre, pero su esposo es ingeniero.

❍ ¡Qué bien! ¿Y qué hace la esposa de Carlos?

◆ Ella es ama de casa, pero antes era enfermera como su hermana y la esposa de su hermano.

❍ Vaya, ¡que familia! Y don Juan, ¿qué hace?

◆ Bueno, no hace nada ahora: está jubilado, pero antes era médico. ¿No lo sabías?

❍ Pues ahora que me lo dices, claro que sí.

24B

Desearía reservar un apartamento

◆ Urbanización La Palmera, dígame.

❍ Oiga, desearía reservar un apartamento que dé al mar.

◆ ¿Para qué días?

❍ Desde el 25 de junio al 15 de julio, ambos inclusive.

◆ ¿Para cuántas personas?

❍ Somos cuatro.

◆ Lo siento mucho, para cuatro no queda ninguno libre; tendrá que ser uno con seis camas.

❍ Eh … ¿Cuánto costaría, entonces?

◆ Mire, con seis camas … 1500 euros.

❍ Bueno, está bien. ¿Hay sábanas en el apartamento?

◆ Sí, claro. Hay de todo: toallas, paños de cocina. En fin, todo lo que necesiten ustedes.

❍ ¿Hay también lavadora?

◆ No, eso sí que no. Pero tenemos una lavandería, que se paga aparte. En el apartamento encontrará usted una lista de precios.

❍ Estupendo. Nada más, pues. Ah, sí, se me olvidaba. ¿Hay alguna tienda cerca de la urbanización?

◆ Sí, a unos 10 minutos a pie tiene usted un centro comercial, con todo tipo de tiendas. Pero además, en la misma urbanización, hay un pequeño supermercado donde venden comida. Dígame su nombre y dirección y le enviaré el contrato y un folleto con más información. Pero si tiene Internet nos puede encontrar …

❍ Muchas gracias, pero prefiero que me lo envíe por correo. Mire, Juan Calderón, Plaza de la Constitución, número 15, 37008 Salamanca.

◆ … 37008 Salamanca …, muy bien, gracias. Adiós.

❍ A usted. Adiós.

26A

Al teléfono

◆ ¿Nos podría reservar una mesa para dos personas?

❍ Sí, señor, ¿para qué hora?

◆ Para las nueve.

❍ ¿A nombre de quién?

◆ Blanco, Enrique Blanco.

❍ Muy bien, muchas gracias.

◆ Gracias, hasta luego.

❍ Adiós.

26E

La cena de Antonia Herrera

Antonia Herrera vive y trabaja en Madrid, pero ahora está de vacaciones en un pueblo de la Costa del Sol. A mediodía come siempre en casa. Pero por la noche va a cenar a un restaurante. Reserva siempre una mesa pequeña, cerca de la ventana. Desde allí puede ver el mar.

Esta noche, como siempre, a las nueve en punto entra en el restaurante. Habla con el camarero:

◆ Buenas noches.
❍ Buenas noches, señora. Lo siento mucho, su mesa está ocupada hoy. Pero le he reservado una mesa muy buena, cerca de la puerta.
◆ Pero no puedo ver el mar desde allí ...
❍ No, pero puede ver la iglesia. Es una iglesia muy bonita.
◆ Bueno, bueno, deme la carta por favor ...
❍ Muy bien, aquí está ... ¿qué desea, señora?
◆ ¿Qué me recomienda?
❍ El filete de ternera hoy es muy bueno ...
◆ Pero prefiero tomar pescado. ¿Cómo es la merluza?
❍ Lo siento, pero no tenemos merluza. Se ha acabado. Le recomiendo el pulpo. Es fantástico.
◆ Bueno, pues tráigame pulpo.
❍ ¿Y para beber?
◆ Vino blanco de la casa.
❍ ¿Algún postre? ¿Un helado?
◆ No, ¿cuál es la fruta del tiempo?
◆ Melocotón. Son de Valencia. Se los recomiendo.
◆ Bueno, deme melocotón.
❍ En seguida le traigo el pulpo, señora.

28E

Mi Buenos Aires querido

1	vuelva	5	vi
2	habrá	6	vuelva
3	nací	7	oigo
4	fue	8	pide

31E

Unas aspirinas

◆ Buenos días. Deme unas pastillas para el dolor de cabeza, por favor.
❍ ¿Unas aspirinas?
◆ ¿No tiene algo más fuerte? Ya he tomado tres aspirinas, ... y me sigue doliendo. ¿Qué piensa usted?
❍ ¿Duerme bien?
◆ Bueno, me acuesto y me duermo en seguida, pero luego me despierto dos o tres veces durante la noche.
❍ Quizás debería ir a un médico.
◆ Sí, ya he estado. Dice que son los nervios.
❍ ¿Le recetó algo?
◆ No, nada. Me dijo que era necesario que dejara de fumar, y que no tomara tanto café.
❍ ¿No le dijo nada más?
◆ Sí, me recomendó que hiciera ejercicio y que fuera a la playa. Pero para eso yo no tengo tiempo. Con los cinco hijos, el marido y el trabajo de la oficina ...
❍ Ya veo. Pues, mire, tome estas pastillas, que son muy buenas. Tome media ahora y media por la noche, antes de acostarse. Y ya verá como mañana ya no le duele la cabeza.

Course outline

= **listening activity** = **optional reading** = **song**

Alphabetical grammar index

Numbers refer to paragraphs in the grammar section